KB118086

# 있을 법한 모든 것

# 있을 법한 모든 것

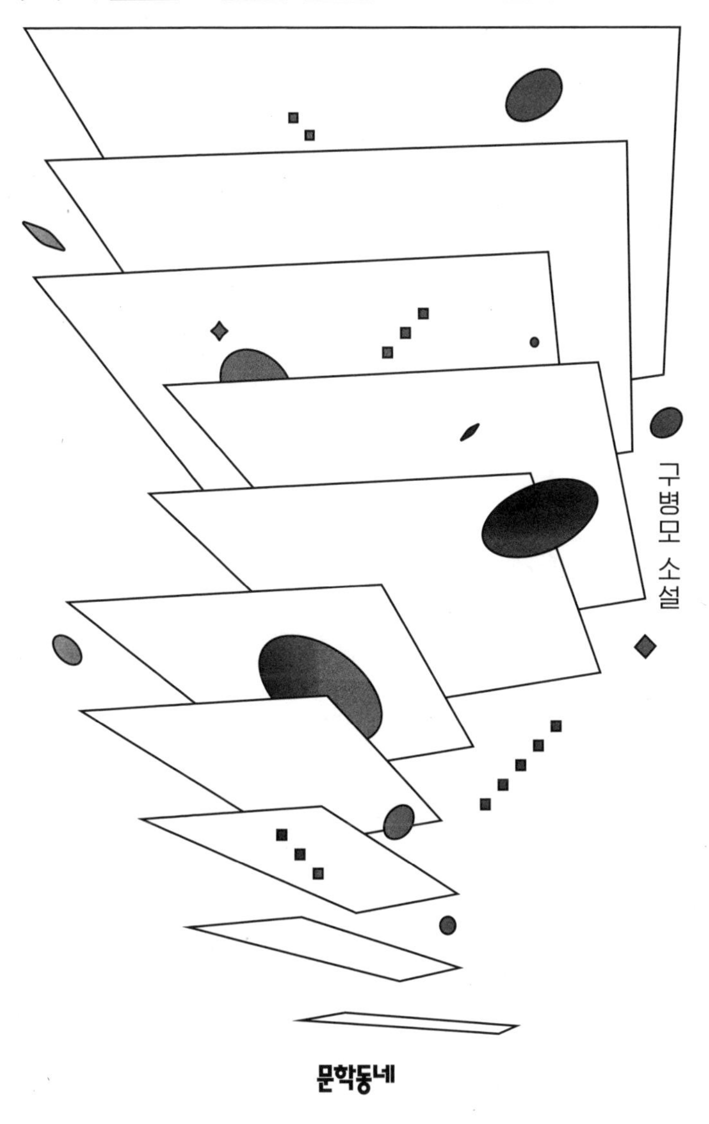

구병모 소설

문학동네

차례

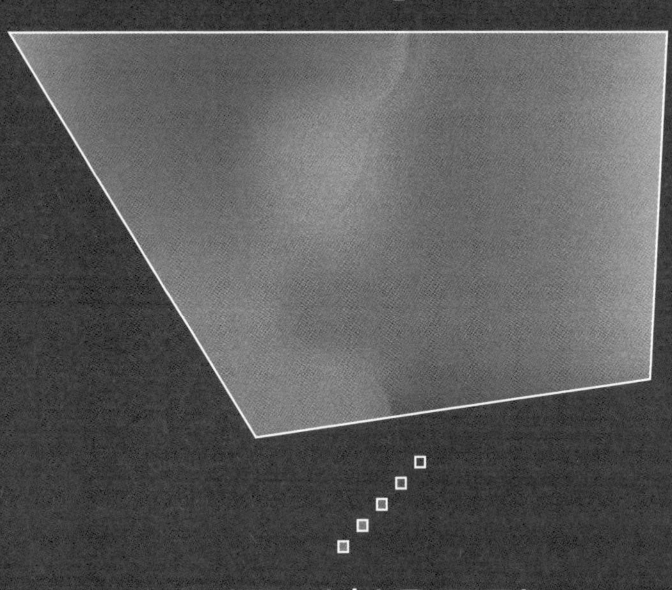

# 니니코라치우푼타

요양원에서 그 연락을 받은 건 내가 하던 일을 막 때려치우고 돌아나와 집 앞 편의점에서 투 플러스 원 맥주를 계산대에 올려놓았을 때였다.

기세 좋게 던지고 나왔다는 건 내 기준이고, 실은 스프리트검 내지 아크릴 파우더와 리퀴드 라텍스에 이르기까지 온갖 재료가 담긴 통들이 내게로 날아온 게 먼저였다. 나 맞으라고 던지는 게 아니며 방향만 내 쪽일 뿐 벽이나 바닥을 겨냥하는 줄은 알겠고 평소에도 종종 날아오던 건데 왜 그날따라 머리꼭지라도 따인 느낌이 들었는지는 모르겠으나, 실장이 던진 알루미늄포일 통이 결정타인지 도화선인지 아무튼 뭔가가 되어버렸다. 구기고 뭉쳐서 거친 피부의 요철을 표현할 때 유용한 그것, 은박지 담긴 통의 절단용 톱니가 팔을 할퀴고 피가 배어나왔다. 피는 당연하게도 파랑이나 투명이 아니었고, 그걸 본 순간 지루하고 고루한 크리처들로 가득한 세계에서 방출됐다는 실감이 내 몸을 가득 채웠다. 뭔가가 좀, 다 식었다고 해야 하나. 피도 마음도 식었고, 식었으니까 죽었다. 아무려나 유혈 사태이긴 했으므로 둘러선 팀원들이 모두 긴장하여 작업실은 침묵에 잠겼고, 실장의 얼굴에는 백오십 킬로의 속구로 타자를 잘못 가격한 투수와도 같은 표정이 아주 잠깐 스쳐갔다. 나는 쓰라린 팔을 한번 슥 문지르고 나서, 내 주위로 떨어진 물건들 가운데 아교 스틱을 직전까지 녹이던 중이라 아직 열감이 남아 있는 글루 건을 천천히 집어들어다가, 어떤 예고나 기미 없이 실장한테 던졌다. 이마나 인중을 맞혀서 상해 시비 쪽으로 끌고 가는 편이 나로선 후회가 남지 않을 일일 듯싶고 어쩌면 반쯤 녹은 글루가 튀어나와 그의 입을 봉해버리는 것도 괜찮을 것 같았지만 그쪽도 반사신경이 없지 않아서 팔을 들어 막았다. 이거 봐라, 어디서…… 던졌다 이거지? 그쪽은 찰과상 아닌 타박상이긴 했지만 우리는 같은 자리에 상처가 났다. 우리는 마주하고 선 두 개의 상처였다. 내가 반격을 한 게 뜻밖이었는지 그는 우물쭈물 떨떠름한 어조로 더듬거리며 다른 팀원들의 눈치를 보는 듯, 접합 부위를 따라 반쯤 쪼개진 글루 건을 내게 도로 던지지 못하고 섰으며, 나는 천천히 돌아섰다. 문을 열고 나가는 내 등뒤로, 너 정말 이거밖에 안 돼? 하는 호통이 들려왔지만 못 들은 척했다. 하나의 시절 안에서 질식사하기 전에, 우주의 무용한 먼지조차 이루지 못하고 부서지기 전에, 부풀어오른 흙더를 덮어두는 대신 찢고 통과하기를 선택함으로써 참화에서 빠져나오는 마음은, 폐광 속 이름도 가치도 모를 광물 쪼가리 같았다.

이유나진 할머니 보호자분?

전화 너머에서 이국의 억양이 밴 우리말로 입을 여는 사무장은 그 자신도 이유나진 할머니보다 크게 젊지 않을 거였다. 요즘은 어디서나 흔한 광경이긴 하다. 팔구십대 노인들이 삶에서 마지막으로 하게 되는 단체생활을, 조금이라도 몸 상태가 나은 일흔 남짓한 이들이 씻기고 먹이고 돌본다. 국민 중위 연령 61세, 정년은 69세지만 공공기관을 제외한 사업장 곳곳에서 그 기준은 무시된 지 오래, 움직일 수 있고 생각할 수 있으면 누구나 일한다. 그것이 불문율이다. 택시를 잡아타면 기사 열 명 중 아홉은 (머리카락이 있는 경우) 백발이고, 이쪽이 말하는 목적지를 잘 알아듣지 못하며—예약시 사전에, 혹은 승차 즉시 입력 등록했어도 꼭 되묻는 이들이 있다—어느 도로를 탈까요, 떨리는 목소리로 물어올 때도 의사소통이 잘 되지 않아서, 서로 있는 대로 목청을 높이던 끝에 승객은 설명하기를 포기하고 기사님 아는 대로, 편한 길로 가주세요!로 대화를 마친다. 대부분의 차량에 운행 자동화 시스템이 갖추어져 있지만 전자동은 아니며 운전자가 아예 핸들에서 손을 떼고 브레이크도 밟지 않고서 한숨 눈 붙인 동안 목적지에 도착하는 경지에 이르지는 않았으므로 사고를 백 퍼센트 예방하기란 불가능하다. 목적지까지 무사하게만 실어다주면 그만하기를 감읍이다. 완전 무인 택시를 시에서 운영했다가 관리 소홀인지 프로그램 해킹인지 혹은 딥 러닝을 통해 인간의 요구 이상으로 진화해버린 AI의 은밀한 고뇌 때문인지 모를 이유로 자기들끼리 충돌하여 대형 전복 사고가 난 뒤로는 그 수가 대폭 줄었고, 구시대의 한강 수상 택시처럼 이벤트 용도로 남겨두었는데 조만간 그마저 자취를 감출 전망이었다. 국가 위탁 요양원은 AI 요양보호사들을 일부 들여놓았지만 이들은 주로 종이접기나 색칠과 음악 등 교육 활동 프로그램에 투입되는데 일단 인간이나 동물 형태가 아니면 일부 노인들이 낯설어하기도 하거니와, 보호사의 필수 노동이란 수시로 물과 오물에 직접 닿는 일이다보니 역시 완전 무인 시스템으로 운영되지는 않는다. 하물며 규모가 작은 사설 요양원은.

어르신께서 니니코라치우푼타를 보고 싶다고 계속 말씀하시는데 혹시 아시는 거 있으세요?

니니……코 뭐요? 나는 그렇게 하면 상대의 음성이 더욱 선명하게 골전도라도 될 것처럼 있는 힘껏 전화기를 귀에 붙였고, 사무장은 또박또박 한 글자씩 불러주었지만 나로선 의미를 짐작하기는커녕 도무지 태어나 처음 듣는 말이었다. 키우던 유기견은 순무라는 구수한 이름이었고, 엄마가 입소하고 한 달 뒤에 열여섯 살의 나이로 떠났다. 엄마에게 오랫동안 깊이 연락하고 지낸 외국인 친구가 있었으리라는 생각은 들지 않는데, 설령 있었다고 한들 어느 나라 말인지도 알 수 없다. 일단 사람이긴 한가? 어딘가의 장소 이름인 건 아닌가? 니니, 코, 라, 치우, 푼, 타. 사무장은 본인도 알아듣기 힘들고 기억할 수도 없을 것 같아 몇 번 실패한 끝에 받아 적었다고 한다. 우리 어르신 상태가 그리 좋지 않지만 이 니니 뭐라는 것에 대해 자주 언급하시니 혹시라도 도움이 될까 싶어서, 아마도 친구분 성함이지 싶은데 뭐든 알게 되면 꼭 좀 연락 부탁드리며, 보호자분께서 조만간 한번 와주시면 좋겠다고도 말했다. 우선 토사곽란이라든지 호흡곤란 내지 심정지 등 위급 상황은 아닌 모양이라, 나는 멀리 출장을 와 있다고 둘러댄 다음 니니 뭐에 대해 알아보고 나서 조만간 다시 연락드리겠다는 말로 통화를 마쳤다. 그러고 내려다보니 내 앞에는 꼭지를 딴 맥주가 김이 빠진 채 식어가고 있었으며, 차마 입에 넣지 못하고 잘게 찢기만 한 버터구이 오징어 한 장은 거의 실 무더기가 되어 쌓여 있었다.

니니 뭐라는 건 반은 핑계고, 가끔 잔고 부족으로 요양비 자동이체에 실패하곤 했던 요주의 인물의 근황 확인차 연락해봤을 거라는 생각도 들었다. 아닌 게 아니라 작업실에서 그런 식으로 나와버렸으니 당장 다음달 송금부터 걱정해야 했다.

그걸 걱정이라도 할 정신이 남아 있는 동안은 차라리 나은데,

적지 않은 자식들이 송금을 끊고 잠수를 탄다. 그런 경우를 대비해 국가 책임 케어 제도가 있긴 하나 해당 분야 예산은 화수분이 아니며, 세금을 지불할 능력이 되는 인구 자체가 꾸준히 줄었고 국가 제도를 악용하는 이들은 늘었다. 입소시 친인척 연대보증, 원비 납부가 이루어지지 않을 시 삼진아웃제, 재산압류와 출국 금지 등 여러 안전장치가 서류상으로는 있으나, 혼인과 출산이 거의 이루어지지 않는 상태에서는 친인척 관계망을 기대하기 어렵고, 압류할 재산마저 없는 자식은 부모를 보내놓고 자살하거나 무슨 짓이든 크게 저질러서 교도소행을 택한다. 바닥을 드러낸 지 오래인 국가 요양 보험으로는 병든 노인들에게 지속적으로 투입되는 비용을 감당하기 어렵고, 요양보호 기관 종사자들은 비바람 속에 노구를 끌고 나와 정부 지원을 요청하는 시위를 벌인다. 이때 뭐가 뭔지 모르고 어리둥절한 표정으로 보호사의 손에 끌려나온 거동 불편한 노인들 예닐곱 명을 카메라에 잘 담기게 앞세우며, 자식이 혹은 배우자가 버리고 도망간 노인들을 국가가 지금 수준 이상으로 구제해주지 않으면 요양원 문을 닫을 수밖에 없다고 호소한다. 지원금으로 구해줄 수 없다면, 버려진 노인들 가운데 본인 희망자에 한해서만이라도 안락사를 허용해달라고 요구한다. 그러나 만일의 경우 본인 희망이라는 것을 어떻게 확인할 수 있느냐, 사리 판단이 어렵거나 의사 표시가 불가능한 노인들의 손을 잡아 끌어다가 지장을 찍게 만들지 누가 아느냐는 시민단체의 반박 시위가 건너편에서 벌어진다. 또 한편에서는 하느님이 주신 생명을 거두는 일은 하느님만이 하실 수 있다는 종교단체의 기도 낭독과 찬송가를 동원한 집회가 진행중이어서, 시위대는 아수라장의 삼각형을 이룬다. 정부에서 답을 내놓지 않은 채 시간이 흐르자, 각 방에 노인들만 남겨두고 원장과 사무장 등 직원들이 야반도주한 곳들도 있다. 노인들이 문을 열고 거리로 어슬렁거리며 쏟아져나와 차량에 받히거나, 반대로 문을 잠그고 도망간 경우 안에서 실화 등의 대형 사고가 발생하여 전원 질식사하기에 이르러서야, 운영자들이 사라졌다는 사실이 알려지곤 한다. 이때 AI 소방관들이 생체 신호가 감지되는 곳마다 돌파하여 구조 작업을 벌이는데, 구해내는 생명은 주로 근처에 숨어 있던 강아지나 고양이다. 인간 소방관의 평균 나이는 58세이며, 간혹 투입되는 삼십대 중후반의 젊은 소방관들은 자신을 향해 집중사격에 가깝게 쏟아지는 모든 잡무와 육체적 격무를 견디지 못하고 퇴직하거나 자살하는데, 이는 소방관뿐만이 아니라 노동 분야 전반에 걸쳐 나타나는 현상으로, 마흔 중반을 바라보는 나도 어느 한 분야에서 일가를 이루기는커녕 여태 실장 직속 따까리였다.

요양 기관의 재정난으로 인한 안락사 허용 요청을 둘러싸고 펼쳐지는 장면들을, 나 어릴 적 몇몇 디스토피아 SF를 보면서 막연히 짐작했던 것보다는 그나마 나은 상황이라고 여겨도 될까? 나는 (한 살이라도) 젊은 사람들이 노인 돌봄의 비용을 치르지 않고 도망가면, 그다음 수순은 각각의 노인에게 한 달쯤 유예를 둔 다음—자식이나 배우자가 정말 사정이 급했다든지, 본의가 아니었는데 조난이나 재난으로 연락이 두절된 곳에서 사고를 당했다든지, 우리 할머니 세대의 용어를 빌리자면 어디 딸라빚이라도 내러 다녀오는 수도 있을 테니까—정부 주도하에 나이순 혹은 건강순대로 솎아내어 약물 주사로 세상과 작별을 고하게 할 줄 알았다. 아니면 솎아낸 노인들을 무인도에 갖다 버림으로써, 최소한 직접적인 살해에 가담하지는 않았다고 주장하며 대야에 손을 씻는 퍼포먼스를 보이는 본디오 빌라도처럼 나온다든지. 그런데 이때 무인도라는 이름의 하치장에 영문 모르고 버려진 노인들은 자연 속에서 피치 못하게 서바이벌 비슷이 뛰어다니며 살아남는 동안 오히려 그전보다 건강해진다는 내용의 B급 코미디 영화가 있었고. 그걸 보면서 엔딩 크레디트 너머의 좀더 현실적인 결말을 떠올린 관객이 나만은 아닐 텐데, 아무리 폐활량이 좋아지고 외피가 단단해진들 모두가 므두셀라의 자식인 것은 아니며, 설마라도 생존이 안정적인 단계에 접어들 때쯤 해서는 조금 더 건강한 노인과 불건강한 노인 사이에도 권력 위계가 형성되겠고…… 너는 누구의 라인이냐, 하면서 반목과 질투와…… 그런 영화가 현실이라면 엄마는 거기서 어떤 역할을 맡게 될까. 여든일곱을 넘었고 나를 가끔만 알아보는 엄마. 타오르는 불꽃과 피어나는 꽃을 구분하지 못하고, 태워서 몸을 녹일 나뭇가지 하나 주워올 수 없을, 먹어도 되는 열매와 먹으면 죽는 열매를 구별하지 못하여—이건 젊고 건강한 사람에게도 쉽지 않은 미션이긴 하지—극 초반에 어느 허방에 빠지거나 벼랑에서 떨어지거나 여러 방식 가운데 한 가지로 퇴장당하고 말, 조연 이하의 존재. 웬만하면 메스를 잡아서는 안 되지 싶은 늙은 의사가 홀로 진료하던 지역 유일의 산부인과에서 꼭 지금 내 나이 때 나를 낳지 않고 혼자서 자유롭게 날아올랐다가 사라졌어야 마땅할, 나의 엄마. 이 생명을 부여했다는…… 이런 세상에 토해냈다는 사실에 대해서만큼은 그리 고맙지 않은, 나의 엄마.

그런 엄마가, 쉽지도 않은 발음을 여러 번 해가면서 찾는 존재가 있다고 한다. 만약 장소나 사물 아닌 사람 이름이라고 한다면, 은인을 찾는 건지 원수를 갚겠다는 건지는 두고 봐야 알겠지만, 이 경우 보통은 은인 쪽에 베팅하는 본능 또한 젊은 자식의 선입견에서 비롯한 것일까. 사람이 아무렴 눈에 흙 들어가기 전에 세상을 붙든 손아귀의 악력도 빠져나가고 웬만한 건 초탈하게 되겠지, 마디마다 바람구멍이 나서 몸의 형태를 간신히 유지하는 뼈와 축 늘어진 근육 그 어디에, 원한이라는 강렬하고도 에너지 소모가 심한 감정이 들어설 자리가 남아 있겠나 싶은 단견 말이다. 나만 해도 실장에게 글루 긴 말고 딱히 던진 게 없을 만큼, 증오보다는 연민과 허무에 가깝지 않나 싶은 마음으로 돌아나왔는데.

니니코라치우푼타.

도저히 알 수 없어서 무언가의 암호인가 하여 한영 키 전환을 하지 않고 slslzhfkcldnvnsxk를 입력해보았지만 결과물은 검색되지 않았다. 하긴 해묵은 역사 속 한 페이지의 암호라면 몰라도 어느 집단에서 실제로 사용중인 약속이라면 인터넷에 쉽게 나올 리 없지. NINICORACHIUPUNTA라고 검색함은 물론 C의 자리에 K도 넣어보고, P를 F나 PH로 대체해보기도 하면서 경우의 수를 체크했다. 엄마가 나를 낳기 전 몸담았던 학회의 이력과 근황을 살피고, 여행이나 세미나 발표차 다녔던 몇 개국의 위성 지도를 클릭하며 비슷한 발음의 지명이나 인명이 있는지 둘러보았다.

그렇게 소득 없이 닷새를 까먹는 동안 실장한테서 세 번 문자가 왔다. 첫번째는 너 지금 나랑 뭐하자는 거냐? 두번째는 너 내가 한 번은 접어줄 테니까 좋은 말로 할 때 튀어나와라. 나더러는 동작이 굼떠! 손놀림이 형편없어! 감각은 제로! 빤히 있는 경화제도 비율 맞춰 못 섞네 실린더 눈금 못 읽지 눈 어디 달렸냐 할 줄 아는 게 뭐가 있다고 여태 붙어 있느냐며 사흘거리로 모욕을 주던 실장이, 어지간히 일손이 아쉬운가보았다. 외주가 하나 더 들어왔든지 공연을 한 편 더 맡게 됐든지 내 알 바 아니니 재주 있고 감각도 뛰어난 사람들과 잘해보시라고, 마음속으로만 답장을 보내고 실장의 번호를 차단하려는데 세번째가 도착했다. 두번째로부터 이틀이 지난 뒤였다.

미안하다.

본말 생략하고 그 한마디였다. 그걸 보는 순간 아무렇게나 던져진 묵직한 닻이 뱃속에 쿵 떨어져선 내장을 갈고리로 찍어 움켰다. 지난 몇 년간 그리 낯설지 않은 흐름이었다. 죽지 않을 만큼만 태엽을 감는 방식. 너 많이 생각해서, 너 잘되라고. 작업실 분위기나 기강이 흐트러져선 안 되며 다른 팀원들한테 본보기가 되어야 하니까. 우리의 관계가 진행에 영향을 주지 않도록. 작업의 성과와 무관하게 네가 편애를 받는다는 부당한 억측을 사지 않기 위해서라면, 나는 얼마든지 악역이 될 수 있어. 그렇게 말하면서 난바다를 표류하는 조각배 같은 내 몸에 한 점의 전조등 불빛을 들이댔다. 피부에 녹여 붙인 오블레이트 위에 라이닝 컬러를 입힐 때만큼이나 섬세하게. 배우의 얼굴로 알지네이트 본을 뜰 때처럼 조심스럽게. 그러나 그 어떤 명분이라도 어느 정도껏이어야 했다. 태엽을 감아주기를 너무 오랫동안 잊고 방치한 시계는 멈추게 마련이고, 나는 그에게 훈련을 받아야 하는 어린 도제가 아니라 수당만큼 일하는 한 명의 직원이었다.

그때 전화벨이 울려서 바로 차단하려고 집었더니 액정에는 실장 아니라 사무장의 번호가 떴다. 이렇게 일주일 사이로 바투 연락을 주는 건 엄마에게 무슨 일이 있다는 뜻이지 싶어 불안과 초조…… 그보다는 번다한 마음으로 받았다. 보호자분, 알았어요! 사무장의 목소리는 약간 들떠 있었다. 이유나진 할머님이 말씀하시던 게 뭔지 알았어요. 이제 보호자분이 오셔서 얘기만 들어주시고 적당히 조치해주시면 좋을 것 같아요. 니니코라치우푼타의 정체가 뭔지, 인내와 자애로 점철된 돌봄노동 끝에 마침내 들었나보다. 이제 됐다, 뭐라도 알면 그나마 찾기에 한시름 덜었다고……

할머님 어렸을 적에 만난 외계인 이름이래요.

……정말이지 하나도 되지 않았다.

할머니 세대의 흑백 소년잡지 만평 꼭지에서는, 당시로부터 오십여 년만 지나면 누구나 하늘을 나는 자동차를 타고 다니고 사람의 생각을 읽어내는 기계가 나오고 사람과 로봇 사이에 자유로운 대화가 가능하며 알약 하나로 식량을 완전 대체하는 한편 사람은 과거와 미래로 자유롭게 시간여행을 한다는 등의 미래 예상도를 그렸다. 소년 소녀의 상상력을 자극한다는 단순한 목적으로 기획한 꼭지라서 어느 정도 과장되었음을 감안하더라도, 고전소설이나 영화에서 이미 수없이 변주된 상상인 만큼, 막연하게나마 그런 시대가 오리라는 진심 또한 담겨 있었을 터다. 그러나 할머니가 돌아가시고 엄마가 장년에 접어들었으며 내가 취학 연령이 됐을 때쯤, 사람들은 하늘을 나는 자동차가 이론상으로도 기술적으로도 완성된 지 한참이지만 그것이 평범한 소시민들 사이에서 상용되기에는 요원하다는 현실을 인정했다. 과학은 무언가 경이로운 것을 만들어낸다고 다가 아니라 그것의 지지 기반이 될 연료 문제와, 그것을 감당할 환경조건과, 무엇보다도 새로운 교통법 제정

및 교통에 대한 패러다임의 전면 수정 재편 같은, 오랜 시간과 큰 비용과 사회적 합의 등이 결부된 총체적 시스템의 문제라는 것을 말이다. 로봇은 그 부담스러운 부품과 무게 등의 요인에 따라 이족 보행 대신 두 다리를 없애고 슬라이딩 보행 시스템을 채용하여 조금이라도 예산을 절약하는 게 보통이었고, 단순 반복 노동을 빠르게 대량으로 처리하거나 시민들에게 매뉴얼에 따른 행정 안내를 하는 등 각종 편의 제공에 쓰이지만 철학자와 형이상학에 대해 심도 있는 토론을 하라고 대학 강단에 보내기는 어려웠으며, 설령 기원전부터 누적된 방대한 철학(과 수학과 사회학과 아무튼 그 모든) 데이터를 주입하여 그게 가능한 걸 만들었다 하더라도 성과(돈)가 나지 않으면 투자처가 떨어져나가기 일쑤여서, 후속 연구로 이어지기 전에 중단 폐기되곤 했다. 알약으로 식량을 대체하기는커녕, 사람들은 입에 들어가도 죽지 않는 거라면 뭐든 발굴하여 요리로 개발한 끝에 재료와 장소의 분위기 및 비주얼과 서비스에 비싼 값을 치르고 먹어댔다. 시간여행 역시 빛의 속도보다 빠른 입자와 우주적 규모의 거대 질량 에너지 공급이라는 문제가 해결된다면 가능했다. 꼽아놓고 보면 그 예상도들 가운데 무엇도 비현실적이지는 않았고, 그저 모든 인류의 피부에 평등하게 닿을 수 없어서 얼핏 미답지처럼 보일 뿐이었다. 그것들을 현실로 만들 기회가 돌아가는 쪽은 개발을 감당할 수 있는 국가. 그 안에서도 고가의 비용을 망설임 없이 치를 수 있는 일부의 재벌.

그러니 외계인 또한 우주 곳곳에 존재하고 지구에서도 그들과 어느 정도의 비언어적 신호를 주고받을 수 있으며 특별한 과정을 거쳐 선발된 소수의 건강하고 용감한 우주인들이 초국가적 프로젝트를 통해 직접 그들을 목격하러 갈 수도 있음을 이제는 누구도 의심하지 않지만, 그 무수한 우주 행성들과 지구를 직접 잇는 공간 이동 양자 통로가 설치되지는 않았으며, 외계인이 비행접시를 타고 무사히 대기권을 돌파하여 지구를 제집 드나들듯이 한다거나 몇 종인지도 짐작할 수 없는 외계 행성어 번역기가 개발되어 지구인과 의사소통을 함으로써 친구가 된다든지 적으로 돌아선다든지 식민지로 삼는다든지 등의 본격적인 교류까지는, 아직 상상의 영역에 머물러 있다.

엄마는 어렸을 적 무슨 영화나 소설을 보고 꿈속에서 외계인 친구를 만났을까. 그래봤자 〈ET〉나 〈화성 침공〉, 파충류들이 떼 지어 나오는 〈V〉 시리즈 같은 걸 텐데. 하긴 라인업이 그 정도만 되어도 꿈에서 만나기에는 충분하지. 우선 애써 붙여준 그 이름의 내력이 있다면 그걸 들어나 주는 게 좋을 것 같아, 이튿날 요양원 방문 예약을 잡기 위해 사무장과 통화하면서 창밖을 내다보았다. 이층 원룸의 창 아래로 현실의 풍경이 느릿느릿 지나가고 있었다. 할머니 세대가 막연히 짐작했던 미래에는 포함되지 않았을 게 분명한 장면들. 우리에게 실제로 닥쳐온 미래는 재해와 기근과 신종 바이러스의 주기적 출몰이 고착화된 세계에서의 각자도생과, 인류가 더이상 인류를 이어갈 이유를 찾지 못하면서 그 진행에 가속도가 붙은 초고령 사회 정도였다. 서바이벌이 일상이며 러시안 룰렛이 복권이 되어버린 상황에서 극도로 예민해지거나 미쳐버린 사람들이 늘어나는 동안, 자신에게 정신감응이며 물건 이동 같은 초능력이 생겼다고 믿는 이들도 많아졌다. 수많은 고전 영화에 박제된 액체 금속 병기나 우주 터널 같은 문명의 포화砲火가 현재에 퍼부어지지 않는 대신, 좀비나 괴수 떼가 창궐하지도 않는—환경오염으로 뭍에 올라온 이형 생물들은 간간이 있었지만 크기든 개체수든 군부대가 그때그때 진압 가능한 수준이라 오히려 안쓰러웠다—점은 그나마 다행인 건가. 뭐가 됐든 인류에게 실제로 도착한 미래는 눈부심이나 편리함, 신비와는 거리가 있었고—어쩌면 아직 오지 않았기 때문이 아니라 언제까지나 오지 않을 것이기에 미래라는 이름이 붙었을 테지—대부분의 평범한 사람들에게는 해당 사항 없음이었다. 외계인 한두 팀이 지구에 불시착한들 임팩트 있는 이벤트 정도에 불과할 테며 삶이 획기적으로 달라지지 않는다는 사실쯤, 당장 외계인을 만났다고 주장하는 엄마의 만년만 보아도 알조다.

아니에요, 내가 붙여준 이름이 아니고 그애가 자기 입으로 가르쳐줬어요. 원체 처음 들어보는 말이다보니 몇 번이나 공책에 꾹꾹 눌러서 옮겨 적고 지우고 다시 쓰고, 얼마나 소리내서 발음해보았는지 몰라요. 음소 체계부터가 인간의 것이 아니라 일종의 진동이라고 해야 하나, 의식의 직접 전송이라고 봐야 하나 모르겠는데, 웅웅거리는 소리가 내 귀에 닿기론 뉘에– 뉘에– 췌에– 하는 식이었거든요. 한 번 들어선 잘 모르겠으니까 니니카라츄푸나? 니니쿠라지우푼차? 하는 식으로 반문하면 그애가 자기 턱을 만지작거렸어요. 그렇게 발음을 하나하나 완성한 다음에 조립해서 니니코라치우푼타? 하고 물었을 적에 그애가 마침내 이마를 두 번 두드리더라고요. 그 이름은 무슨 뜻인지 묻고 싶어도 말이 통하지 않으니 물을 수 없고, 설령 알려주었던들 내가 알아들을 수도 없었겠지요. 하지만 이것은 무슨 뜻이냐, 고 따지는 것도 이제 와서 보자면 지극히 우리 중심적인 사고예요. 나를 이해시켜봐라. 모두를 설득하지 못하면 그것은 무의미하고 따라서 소용없는 것이다. 그렇잖아요? 외계의 언어를 우리의 사고 체계에 끼워맞춰 이해하겠다는 것부터가 너무 오만이다 말이지요.

비록 숨이 차서 몇 어절마다 한 번씩 띄엄띄엄 쉬어가느라 시간이 걸리기는 했지만, 엄마가 이렇게 오랫동안 조리 있게 말을 이어가는 모습을 몇 년 만에 보는 것 같다. 방에 들어왔을 때 나는 엄마 딸이야, 딸, 늙어가는 딸! 몇 번을 얘기했지만 엄마의 세계는 나를 낳기 전으로 돌아가 있는 것 같아서 그만두고, 대신 항공 우주 조사국에서 나온 조사원이라고 소개했더니 이렇게 입을 열어준다. 처음에는 조사원이라는 말을 못 알아들었거나 그 의미를 구체적으로 이해하지 못하는 것 같아서 공무원! 공무원이라고요! 하니까 그제야 고개를 끄덕였다. 할머니 친구 얘기, 자세히 듣고 싶어서 왔어요! 여든 무렵의 엄마에게 목청을 높이던 것과 비슷한 데시벨로 말했는데, 엄마는 의식뿐만 아니라 청력도 어린 시절로 돌아가기나 한 것처럼 손사래치며 웃었다. 아유 나 귀 안 먹었어. 내 천천히 들려줄게 거기 좀 앉으셔요. 이런 엄마의 모습을 한번 더 눈에 담을 수 있다는 사실만으로도 니니 뭐라는 것에게 고마운 일이고 이제 그것이 외계인이든 고양이든 햄스터든 중요하지 않으며, 내가 엄마의 이야기를 듣고 잘 반응해주는 것이 관건이다…… 그러나 엄마가 들려주는 이야기는, 입소 전 상태를 고려하면 기적에 가까울 정도로 유창하지만 의외로 내용은 심심했는데, 어디서든 만 번쯤은 들어보고 더는 우려낼 사골조차 남지 않아서 이제는 무언가의 오마주로서가 아니면 갖다 쓰기도 민망한 클리셰로 정착된 듯싶은 화소의 조합으로 이루어져 있었으므로, 엄마가 예전에 본 영화들의 주요 장면을 죄다 뒤섞은 걸 두고 자신의 기억이라고 믿는 것처럼 보였다. 비록 작화증이라고 하더라도 오래된 영화의 스토리를 기억한다는 것 자체는 긍정적……이라고 봐도 되나.

그렇게 이름을 교환한 것 말고는 서로 대화가 도무지 안 됐지만, 별로 상관은 없었어요. 우리는 둘 다 손이 있으니 마주잡을 수 있고, 입이 있으니 웃을 수 있었거든요. 그거면 된 거 아닌가? 그애가 머물다 간 일주일 동안, 나는 살아 있는 존재라면 꼭 소리내지 않더라도 얼마든지 의사를 표현할 수 있다는 사실을 알게 됐어요. 그래서 그애의 손짓 발짓만 보고도, 계산값이 안 맞아 뿔뿔이 흩어져 착륙했던 자기 친구들과 간신히 통신이 닿아서 안심했다는 사실을 알 수 있었어요. 표정과 눈빛만으로도, 이제 곧 떠나야 할 시간이라는 걸 알았고요. 그도 그럴 게, 당연하잖아요, 사람 사는 땅에 환경도 안 맞는데…… 내가 이다음에 공부 열심히 해서, 훌륭한 사람 되어가지고 너의 별로 찾아갈게, 라고는 했는데 내가 말해봤자 우리말이니까 그애가 알아들을 리는 없었고. 그래도 두 가지 장면만은 기억이 선명하네요. 배고플 텐데 사람 먹는 김밥이나 떡볶이 이런 거 주면 괜히 큰일날 거 같아서 브이팔이었나 토마토 엄청 든 거 그거, 채소주스 캔을 하나 따줬더니 그게 좀 시었나, 한 모금 물자마자 바로 뿜어서 내 얼굴에 다 튀었어요. 정말이지 그때 엄마랑 아빠가 다 병원에서 며칠씩 밤을 새웠으니 망정이지 집에 부모님 있었어봐, 그거 숨기지도 못하고 어떻게 했을지 모르겠네요. 하지만 처음에만 좀 낯설어하고 나중에는 앉은자리에서 몇 팩을 마셔도 탈이 안 나더라고요. 화장실은…… 잘 모르겠어요. 사용 안 한 것 같아요. 며칠씩 같은 집에서 지냈는데 어디다 뭘 싸는 것도 못 봤고. 그렇게 마신 거 다 어디로 갔을까. 하긴 인간하고는 소화기관이 다르게 생겼을 테니까요. 잠은, 내가 피곤해서 자니까 옆에서 그냥 같이 자주는 느낌이었어요. 눈 떠보면 항상 일어나서 창밖을 보고 있었거든요. 그러고 보면 생리작용 자체가 딱히 필요하지 않았다는 느낌이라고 해야 할까요.

그때쯤 엄마의 동생, 즉 지금은 돌아가신 내 이모가 태어났으므로 부모님이 병원에서 밤을 지새웠을 개연성은 있는데, 방치 학대가 아니라면 어린아이를 집에 혼자 둔 채 부모—나의 외할머니와 외할아버지—가 그렇게 며칠씩 부재중이었을 성싶지 않았고, 그걸 포함하여 태클을 걸 구석이 한두 군데가 아니었지만 나는 일단 두번째 장면 얘기를 기다렸다. 증상 진행에 따라 상당 부분 잃었던 낱말과 문법들을, 악마와 계약하여 일시적으로 회수해 오기라도 한 것 같은 상태에 몇 분이라도 더 오래 머물고 싶었다. 지금 엄마는 한창 바깥 활동이 왕성했던 시기, 한 손에는 마이크 다른 손에는 보드마커를 쥐고 강단에 서서 대학 신입생들에게 교양 과목을 강의하던 무렵과 비슷하게 말하고 있었다. 이런 엄마를 공연히 논리로 쏘삭여서 현실로 돌아오게 해서는 안 되었다.

그리고 다른 하나는, 떠나기 바로 직전쯤 해서요. 우리의 손짓 언어를 가르쳐줬는데 어찌어찌 그 의미를 알아들은 것 같아서 기분좋았다는 기억이 남아 있어요. 이건 비밀이야, 네가 다녀갔다는 건 평생 나만 알고 있을게, 하는 거 있잖아요. 처음에는 손가락을 이렇게 입에 대고, 쉬…… 쉬…… 했는데 무슨 뜻인지 모르는 것 같았아요. 그래서 비밀, 아무한테도 말 안 해! 하곤 이렇게 두 손바닥을 겹쳐서 내 입을 딱 막고 도리도리. 그랬더니 그애도 손으로 자기 입을 막고 고개를 가로젓더라고요. 얼마나 고개를 흔들어댔는지 나중에는 나도 어지러울 정도였는데 그애는 생각해보면 자기 살던 별이랑 중력도 달랐을 텐데 그걸 그대로 따라 흔들어줬으니, 그 정도로 의미를 이해했다는 거 아닐까요? 비밀…… 지킨다고 했는데, 결국 이렇게 됐네요. 하지만 그로부터 칠십 년도 넘게 지났으니까 뭐. 관공서의 주요 문서 기밀 유지 연한이라고 해도 칠십 년이면 충분하지 않을까요? 그쪽도 나 잊어버렸을지 모르고, 설령 다시 온다 한들 얼굴이 이렇게 변했으니 못 알아볼 테고.

이렇게 보면 엄마는 자신이 여든 살도 넘었다는 걸 아는 모양이었고, 다만 나를 낳은 과거만 엄마라는 책의 페이지에서 누락된 것 같았다. 엄마의 이야기는 거기서 일단락이 된 모양이었고, 나는 방안이 침묵에 잠기는 것이 어색하기도 한데다 약기운이 떨어졌는지 스위치를 내린 것처럼 엄마의 표정이 어두워지는 게 마음에 걸려서 아무 말이나 걸었다. 단지 당신의 기억에 관심 갖고 있음을 표명하기 위한 수단이었을 뿐인데, 그것이 내 무덤 파는 일이 될 줄은 모르고.

그래서…… 그 니니코라치우푼타라는 친구는 어떻게 생겼나요?

그러자 딴 데를 멍하니 보면서 한참 다른 생각을 하는 것 같던 엄마가 갑자기 내 손을 덥석 붙들고 이렇게 말하는 것이었다.

그러니까 공무원 양반이 그애를 대신 좀 찾아와주세요. 내가, 이, 이유나진이가 보고 싶어하더라고. 다만 보더라도 실망하지 말라고. 아주 폭삭 늙었다고도 미리 말해주세요. 걔들이 늙었다는 개념을 이해할진 모르겠지만. 요즘은 과학이 엄청나게 발전했잖아요? 못하는 거 없잖아요. 외계 행성하고 통신도 다 되잖아요. 안 그래요? 다만 그애가 사는 행성이 어딘지 모른다는 게 문제인데……

아무리 생각해봐도 문제는 그게 아닌데, 엄마는 내가 승낙해주지 않으면 바로 여행용 트렁크라도 꾸릴 기세였다. 저기 할머님; 잠깐만요. 우선 앉아서 말씀을…… 아니 그보다 우리 과학이 아직 그렇게까지…… 그러나 엄마의 눈빛은 이미 지구를 떠나 미지의 행성 주위를 공전하고 있었다.

죽기 전에 꼭 한 번만 다시 만나고 싶어요. 너무 위험할까요? 하지만 이제 그애가 사는 별도 우리가 사는 곳만큼은 문명이 발달하지 않았을까요? 예전보다는 안전한 방식으로, 어쩌다보니 뜻밖의 결과가 아니라, 빈틈없는 좌표 계산에 따라서 와줄 수 있지 않을까요? 불러주세요. 꼭 약속해주세요.

할머님, 저는 아주 말단 사원이고 임시직이라서요. 그런 능력도 안 되고 권한이 없어요…… 그러나 이 대목에서는 엄마가 말단 사원은 이해했는데 임시직을 못 알아들었다. 항공 우주 조사국 얘기를 꾸며낸 건 나의 실수였다. 엄마의 행성이 되어줄 수 없다면, 우주적인 사이즈의 사기는 치지 말았어야지.

현장에서는 사양이 뛰어난 컴퓨터만 있으면 그래픽 후가공을 통해 그 어떤 형태의 크리처라도 만들어낼 수 있었다. 날이 갈수록 배우들의 섬세한 연기력과 풍부한 상상력이 필요해졌을 뿐이다. 배우들은 하나도 놀랍지 않게 생긴 주연배우를 보고 세상에서 가장 무서운 괴수를 목격한 것처럼 비명을 지르며 도망쳐야 했으며, 텅 빈 스튜디오 벽을 보고 범접 불가능한 우주선의 위용에 압도당한 표정을 지어야 했다. 이때 고개를 드는 높이나 시선 처리도 중요했는데, 인건비와 시간만 넉넉하다면 그런 사소한 부분도 후보정으로 편집할 수 있었다.

우리는 어쩌면 마지막 세대일지도 모를, 소수 정예로 명맥을 이어가는 아날로그 방식의 특수 분장 팀이었다. 괴수와 외계인이 등장하는 영화에서는 더이상 우리를 필요로 하지 않았다. 주연배우가 한 테이크를 촬영하기 위해 영하의 날씨에 코도 못 풀고 여덟 시간 동안 꿈쩍 않고 앉아서 분장했다는 촬영 에피소드는 이제 없었다. 분장 일을 하던 선배들은 개인 미용실이나 메이크업 학원을 차려서 젊은이들이 특별한 기념일에 주문하곤 하는 출장 화장을 했지만 결혼식 자체가 많지 않다보니 수입은 신통치 않아서, 별도로 엠바밍 기술을 배워 장례업체에 시신 화장을 하러 다니기도 했다. 결혼하는 사람이나 태어나는 사람보다는 아무래도 죽어갈 사람이 더 많은 시대의, 어찌 보면 당연한 초상이었다. 젊은 세대는 진작 컴퓨터 그래픽 분장으로 방향을 바꿨는데, 3D로 구현한 분장은 한번 레이어만 제대로 짜놓으면 그 데이터를 수많은 각도로 변용해서 쓴다는 점에서 수작업으로 직접 재료를 댈 때에 비해 인건비가 상식 이하로 후려쳐지는 바람에, 자연히 더욱 많은 일을 문어발식으로 받아 진행하는 동안 작업의 퀄리티가 떨어지거나 건강을 해쳤다. 한편 우리 사무실은 텔레비전 드라마로 대하사극을 만드는 프로덕션과 외주 계약을 맺어서 출장 분장을 나가는 일거리가 요즘도 간간이 들어왔다. 고난도의 괴수 얼굴은 그래픽으로 만드는 게 대세지만, 등장인물의 대부분이 옛 시대의 의류를 입고 수염을 붙이는 사극에서는 여전히 분장 팀의 손길을 빌리는 쪽을 선호했다. 그 외에는 아직까지 멸종하지는 않은 연극과 뮤지컬 무대, 음악회 연주자들의 메이크업 정도. 보는 사람과 출연자 사이에 어떤 액정 차단막이나 시각 보조 장치가 존재하지 않는 라이브 현장 위주로 뛰어다녔다. 시드는 법 없으며 향기까지 구현해낸 4D 꽃이 인기를 끌어도 생화를 주고받는 사람들이 있는 한 화훼 농장이 완전히 소멸되지는 않듯이, 살아 있는 사람이 존재하며 그 사람을 눈으로 직접 보고 싶어하는 사람들이 존재하는 한 분장 자체가 없어지지는 않을 터였다. 그러나 구세대의 주요 수입원이었던 영화 현장을 거의 컴퓨터 그래픽에 넘겨주었으니 '특수' 분장사로서의 정체감은 없는 거나 마찬가지였다.

태블릿에 급하게 스케치한 것을 한 장씩 터치하여 넘겨가면서 작업실 후배의 전화를 받았다. 어, 그래. 별일 없니? 실장님이 전화해보라고 하신 거지? 내가 네 연락은 안 피하고 받을 걸 잘 아셨나보네. 그때 한창 바쁜 타이밍에 던지고 나와서 미안했다. 무슨, 너 같았어도 그러긴 뭘 그래, 퍽이나. 그 공연까지만 딱 마치고 폼나게 그만둘 예정이었는데…… 너희한테 좋은 모습 못 보여준 게 맘에 걸려. 그러게, 네 말마따나 내가 좀 미련하게 오래 참긴 했다. 실장님이 너무 그 좀, 너희 들어오기 전부터, 나 원년 멤버라고 더 편해서 그렇다 하는 핑계도 하루이틀이어야 말이지. 어, 내 걱정 안 해도 돼. 그냥 정신만 좀 없어, 어머니 상태가 약간 그래서…… 정말? 바로 퇴사가 아니라 휴가로 처리했어? 웬일이래. 총무님은 뭐라는데? 아이고…… 알았어, 그건 나중에 내가 따로 통화할게. 그런데 언니가 너한테 물어볼 게 좀 있다. 지금 공연 하나 끝났고, 바로 다음 이어서 들어가는 거 없지? 작업실 며칠이나 비어 있을 거 같니? 비밀번호 안 바꿨고?

작업실은 바로 오늘 아침까지 밤샘 작업이라도 했던 것처럼 훈기가 돌고 있었다.

할머니가 말년까지 즐겨 보던 막장 드라마의 시절 같았으면, 나는 아무 진열장이나 열어도 충분한 용량이 발견될 법한 시너 용기의 뚜껑을 열고, 바닥에 부어버린 다음 작업실을 전소시킬 거였다. 그것이 실장에 대한 합당한 보복이라도 되는 듯이, 사방에 널린 두상에서 인조 머리카락이 타는 냄새를 맡으며, 아세톤과 콜로

디온 등 각종 재료가 폭발하는 한가운데서 장렬히 전사함으로써 시청자에게는 말초적인 자극을 제공하는 한편, 입 대기 좋아하는 평론가들의 몫으로는, 필사의 자세로 손을 써서 무언가를 빚어내는 시대에 종말을 고하며 세상 어디서도 경건한 노동과 진중한 예술의 승계가 더이상 이루어지지 않으리라는, 절망적이면서도 씁쓸한 메시지를 남겨둘 터였다.

그러나 나는 현실을 살아가기 바쁘고 그럴 위인이 못 되었으므로, 허튼 가정은 접어둔 채 서둘러 외투를 벗고 앞치마를 둘렀다. 익숙한 위치로 무심코 손을 뻗어 온갖 잉크와 재료로 오염된 팔토시를 집다가 문득 떠올렸다. 실장님이 선배 물건 치우지 말고 그대로 다 놔두라고 했어요…… 후배 말만 들었을 때는 믿기 어려웠고 네가 직접 기어나와서 집어가라는 실장의 뜻인가 싶었는데, 내 작업대가 정말 남아 있었다. 어지럽게 널린 실이나 작은 금속 등의 재료들이 수습되어 도구 상자에 담겼고, 뛰쳐나가기 전에 한창 작업중이라 분명 열어두었을 잉크병마다 뚜껑이 닫혀 색상별로 정리되어 있었다. 새로운 프로젝트만 있다면 앉은자리에서 바로 본격 작업에 들어가도 될 정도였다. 이 정신 사나운 걸 눈치봐가면서 정리했을 막내에게는 나중에 따로 밥을 사야겠다고 생각하며 태블릿부터 꺼냈다.

엄마의 기억과 말에만 의존하여 스케치한 외계인 얼굴만 마흔장 넘게 나왔다. 그래도 색상만은 일관되게 보라와 녹색 조합이라고 했고, 인간과 같은 머리카락이 따로 없었다는 것도 처음 진술한 뒤로 바뀌지 않았다. 다만 귀와 코, 눈과 입의 크기 및 모양은 말할 때마다 오락가락해서 그것들을 경우의 수만큼 짝지어 조합하느라고 스케치의 매수는 점점 늘었으며, 보라와 녹색이라는 데까지만 변함없고 각 색상이 차지하는 비율과 가로세로 등의 무늬 방향이 달라지기도 하여, 나중에는 내가 거의 디자인하다시피 했다. 그 모든 스케치—수배 전단이나 다름없는 몽타주를 넘겨서 보여주는 동안 엄마의 입에서는 어어, 지금 막 그거랑 좀 닮은 것 같기도 하고, 너무 빨리 지나갔네요, 앞에 넘긴 거 다시 봅시다, 오 그렇지, 이 느낌인가, 이렇게까지 쨍한 색은 또 아니었어요, 아니아니, 이건 너무 입이 크네, 하는 식으로 훈수를 두는 말들이 쏟아졌다. 그 모든 특징이 뒤섞여서 결국은 아무런 특징도 띠지 않을 지경이 됐을 때쯤 나는 지쳤다는 티를 내지 않기 위해 노력했고, 그나마 이렇게 말할 수 있을 때가 좋은 법이라고, 이 시간이 지나면 이렇게 대화와 번복을 통해 하나의 존재를 함께 구성해나갔다는 사실조차 잊어버릴지 모르니까, 지금 많이 들어두어야 한다고 이를 악물며 웃었다. 뭐가 됐든 엄마는 이 세상에 존재하지 않거나 설령 존재하더라도 실제로 만나기는 요원한 어떤 존재를 보고 싶어하며, 그건 다행히 내가 어떻게든 할 수 있는 일의 범위에 속했다. 특수 분장을 좀 오래 쉬긴 했지만, 감독과 배우들이 압도당하곤 했을 정도로 한때는 실감나게 마스크를 만들었던 기억이, 손금 하나하나에 기원전의 고고학적 유물처럼 남아 있었다.

복병은 배우였다. 나도 이 바닥에서 짧지 않게 구른 편이니 내가 감당할 수 있는 수준의 페이에 연기를 해줄 배우를 알음알음으로 구할 수 있을 줄 알았다. 그러나 작업실에 오기 직전까지 사방에 전화를 돌렸는데 배우를 섭외하지 못했다. 거푸집에 주물을 부어 굳힌 무생물인 두상만 들고 가는 건 소용없었고, 사람의 얼굴에 작업해서 그 사람을 데려가야 했다. 대본도 없고 관객은 한 명뿐인, 언제 돌발 상황이 일어날지 모르는 요양원에서의 연기란 봉사 정신과 사명감을 필요로 하는데 이번 경우 사회복지 센터 주최가 아닌 나 개인의 일이니 배우의 필모그래피에 도움되지 않으며, 알지네이트와 석고를 배우의 얼굴에 맞춰 발라야 한다는 조건부터 일차 장벽이었다. 몰딩 과정에서 그다지 촉감이 유쾌하지 않은 재료가 얼굴 전부를 뒤덮는 방식이라, 콧구멍까지 틀어막은 게 아닌데도 밀폐된 느낌 때문에 호흡곤란이 오는 배우도 있었다. 즉 배우 입장에서는 페이에 비해 투자하는 시간과 감정 소모가 적지 않았고, 경험이 부족한 이가 맡기에는 여러모로 부담스러운 일이었다. 지금 공연 스케줄 없이 쉬는 배우라도 대다수가 연기와는 무관한 아르바이트로 생계를 유지하는 형편이니 일을 몇 시간이나 빼달라고 하면 누가 들어줄까. 자세한 사정을 말하면 누군가는 기꺼이 나서줄지도 몰랐지만 엄마의 상태와 전후 사정 이야기를 너무 많은 사람에게 하기는 좀…… 그때 갑자기 작업실 철문이 열렸다.

서로 할말을 잃은 채 그 자리에 서서 침묵이 흐르는 장면 위로 감정의 동요나 긴장감을 조성하는 BGM 같은 걸 끼얹는 드라마적 연출 따위는 없고 입구에서부터 실장이 너무 성큼성큼 다가오는 바람에, 선배가 뭘 좀 가지러 잠깐 들를 거라고 그에게 분명 언질을 주었을 막내에 대한 배신감을 느낄 새도 없이 나는 자리에서 일어났다. 실장이 멈춰 서서 기가 막힌다는 듯이 실소를 터뜨렸다. 얘기하자는 거야. 그거 내려놓고 하자. 그 말을 듣고서야 나는 한 손에 미개봉 상태의 유토 덩어리와 다른 손에 금속 주걱을 들고서 다소 역동적인 자세를 취하고 있음을 알았다. 저는 할 얘기 없습니다. 나는 유토는 내려놓았지만 그나마 일종의 무기처럼 보이는, 그러나 무기로서의 기능을 별로 기대하기 어려운 주걱은 여전히 들고 서 있었다. 혹시라도 현장과 일이 그리워서 내지는 다른 게 아쉬워서 내가 숙이고 들어왔다는 착각을 그쪽이 하지 않도록. 좋아, 나만 말할게. 거기서 듣기만 해. 더 안 갈게. 나는 만일을 위해 챙겨온 대형 타폴린 백을 열고 그 안에 재료들을 쑤셔넣으며 그를 외면했다. 제 돈으로 구입한 재료만 회수하러 온 거고 금방 갈 겁니다. 듣고 싶은 말도 없습니다. 아무래도 작업은 작고 허름하며 통풍이 잘 되지 않아 화학약품 냄새가 쉽게 배는 나의 원룸에서 해야 할 듯싶었다. 아래윗집 민원이 들어오지 않아야 할 텐데…… 같은 고민 사이로 그의 목소리가 다시 칼치기 차량처럼 들어왔다. 내가 다 잘못했고, 이 작업 팀 전원 네 밑으로 돌려. 내가 옮길 테니까. 너 이렇게 그만둘 사람 아닌 거 알아. 나는 못 들은 척하고 각종 파우더와 폼 라텍스를 용기째로 가방에 넣었다. 그것 말고 원하는 거 있으면 다 말해봐. 들어줄게. 몇 번 반복하여 익숙한 패턴이었다. a-a′-b-a. 나는 그 세월 동안 a와 a′를 오가다가 이제 겨우 b를 저지른 참이었는데 여기서 다시 a로 돌아가리라는 것을, 누구보다도 내가 그러기로 선택하리라는 것을, 질리지도 않고 감정적 착시 상태를 잘도 유지하는 나 자신의 심장이야말로, 도저한 환멸의 화살이 꽂힐 과녁이라는 사실을 잘 알고 있었다. 자연스럽고 매끄러우며 듣기에 부담 없다고 간주되는, 분위기의 조화와 감성의 화해를 종용하는 빌어먹을 악곡의 형식.

이게 만약 소설의 한 대목이었다면, 읽던 사람들이 마음속으로 비명을 지를 부분이겠지. 절대로 그를 다시 받아들여서는 안 돼! 시원시원하게 발로 뻥 차버리고 너 자신의 삶의 의미를 찾아서 당당히 걸어나가! 독립적이고 주체적인 성장형 주인공의 모습을 보여줘…… 그러나 나는 주인공이 아니고 눈앞은 현실이었다. 어떤 감정은 상대방에 의해 자신이 하찮아지기를 감수하기도 하며, 그 상태에 적응하고 현실과 화해를 도모하기 위해 자신의 하찮음을 스스로 원한다고 착각하는 데까지 나아간다.

나를 다른 사람 앞에서 깔아뭉개지 마세요. 그건 결코 농담이 될 수 없고, 나한테는 예의가 아닌데다, 남들한테 보이기 위한 겸

손도 아니에요.

조심할게. 그리고?

그냥 둘이 있을 때도 그러지 마세요. 나 그렇게 못나지 않았고 못하지도 않아요. 나를 자꾸 훼손하지 말라고요. 한 번만, 정말이지 한 번만 더 나를, 내 일을 대수롭지 않게 여기는 식으로 말하면, 여기다 불지르고 죽어버릴 거라고요. 그냥, 실수했을 때 실수만 갖고 지적하는 게 그렇게 어려워요? 미스 난 거, 손해 난 거, 앞으로 시정해야 할 거! 그런 거 말고 도대체 재능이니 센스니 하다 못해 인성까지 문제삼는 게 맞는다고 생각해요?

그 말이 맞아. 고칠게. 그 밖에 또다른 건?

지금은 뭐가 아쉬워서 이러는지 몰라도 이런 태도조차 일종의 시위 내지는 제스처일 터였고, 그는 오랜 세월 타인을 침입하는 말들이나 정복하는 몸짓 같은 게 인이 박여버린 사람이었으므로 나는 그의 말을 다 믿지 않았다. 그러나 지금의 나는 그 예감의 세부에 대해 그와 시비를 다툴 여유도 여력도 없었다.

그 최소한의 것만 지켜준다고 약속하면, 작업실은 계속 나올 거예요. 실장님이 다른 데로 옮길 필요도 없어요. 마지막으로……

나는 옆 작업대 밑으로 가지런히 들어가 있던 바퀴 의자를 끄집어내 그의 앞에 밀어놓았다.

정말로 미안하다고 생각하면, 협조해요. 나한테 시간을 내라고요.

이날따라 내 앞차 바로 앞에서 대기가 걸리고, 어딘가의 접촉사고로 차선 하나가 통제되는가 하면, 어디서는 도로 공사중이었다. 퇴근길보다도 오히려 차가 밀리는 듯하고, 화면에 뜬 요양원 도착 예상 시간의 숫자가 일 분씩 늘어날 때마다 뒷자리에 앉은 실장의 생사가 우려되지 않을 수 없었다. 룸미러로 살펴보았자 안색이 어떤지는 어차피 알 수 없으니 숨쉬기가 괴로우면 수신호를 보내라고 사전에 일러두긴 했는데, 앉은 자세나 가끔씩 움직이는 동작을 보면 괜찮은가보았다.

보디페인팅을 할 때처럼 얼굴에 색과 그림만 입히는 거였다면 일은 간단했겠지만, 실장을 앉혀놓고 내가 한 것은 그의 머리에 랩을 씌운 뒤 알지네이트를 얼굴에 붙이고 페인팅 후 건조까지 하는, 본격적인 특수 분장이었다. 당신 예전에 연극 무대도 서봤다며. 이 정도는 해달라고. 실장은 그게 어언 사반세기 전의 일인데다 이름이 붙은 배역은 맡아본 적 없다며 한숨 쉬면서도 그날 저녁 잡혔던 미팅 하나를 취소했다. 뛰어난 연기력은 필요하지 않았다. 몸짓이 너무 어색하거나 경직되지만 않는 정도면 충분했고, 어차피 말은 통하지 않는다는 게 기본 설정인 만큼, 이름만 확실히 외워두고 나머지 대화는 오리무중을 헤매도 상관없었다. 입 다물고 있기 뭐하면, 실장님 외대에서 페르시아어 전공했잖아요, 기초 교재에 있던 문장 아무거나 읊으라고요. 우리 엄마 어차피 페르시아어는 못 알아들어. 혹시 모르니까 '살람' 같은 간단한 것만 빼고요. 그의 얼굴에 재료를 펴 바르면서 나는 니니코라치우푼타에 대해 이야기했고, 엄마와 만나 니니코라치우푼타인 척해야 한다는 난도 높은 미션을 다짜고짜 던져주었다. 다른 존재를 가장하는 일 자체의 어려움은 물론, 무거운 분장을 뒤집어쓴 채 다른 나라 말로 자연스럽게 하라니, 그것도 아무런 마음 준비도 안 된 건 둘째 치고 합도 맞춰볼 틈 없이. 베테랑 배우에게도 재난에 가까운 일이겠다. 랩을 감은 그의 머리는 열과 땀으로 폭발하기 직전일 테고. 그가 마음이 바뀌어 차에서 내려버린대도 나로선 할말이 없었고 붙잡지 않을 터였지만, 그 얼굴로 내렸다간 집까지 가는 동안 무슨 봉변을 당할지 모르니 버텨주는 모양이었다.

영원히 도착할 수 없을 것만 같던 요양원 주차장에 차를 대고, 뒷자리에서 내리는 그를 안내했다. 당연히 눈구멍을 뚫어놓긴 했지만 아무래도 시야가 불편할 터였다. 천천히 갈게요. 내 팔 붙잡고 조금씩 따라와요. 마침 부모님들 문안을 마치고 돌아가던 다른 방문객들이 우리 모습을 보고 흠칫 놀라며 멈춰 섰는데, 내가 옆에 붙어 있는 걸 보곤 무슨 파티 행사 있으신가보다…… 하고 중얼거리며 지나쳤다. 그러고 보니 FBI가 용의자를 연행할 때처럼 얼굴에 두건이라도 뒤집어씌우고 올 걸 그랬나. 만약 마주 오던 이가 건강한 보호자들이 아니라 이곳에서 생활하는 노인들이었다면 이걸 보고 심정지가 올지도 모르는 일이었다. 당장 입구에서 기다리던 사무장만 해도, 사전에 몇 번이고 언질을 주었는데도 막상 보고 멈칫하더니 몇 발짝 물러나는 것이었다.

진짜인 줄 알았어요. 정말 솜씨가 좋으시네요. 돈도 많이 들었을 것 같고.

재료 나름이긴 하나 인건비로 치면 아마도 비싸다. 비싸야…… 한다. 외계인 역할을 맡은 그가 별다른 소리는 내지 않고 묵례로 인사를 나누는 걸 못 본 체하며 나는 사무장에게 눈짓했다.

이쪽으로 저 따라오세요. 다른 분들 지금 잠깐 복도에 못 나오시게 저희 보호사님들이 다 수습하고 계시거든요.

사무장을 따라 엄마의 방으로 가는 도중 나는 마침 생각나서 물었다.

저희 엄마 룸메이트분 있으시잖아요. 그분은 봐도 괜찮으세요?

음…… 그저께 가족분들이 오셔서 요양병원으로 모시고 갔어요. 지금은 혼자 쓰세요.

사무장은 방문 앞에서 두 번 노크했다.

이유나진 할머니, 저희 들어갈게요.

아무리 그래도 초록 보라를 조합하여 기괴하게 만들어 붙인 오브제를 갑자기 눈앞에 들이밀면 엄마의 안전도 보장하기 어려울 것 같아서 나는 그에게 내 카디건을 벗어주었다. 그는 카디건을 양손으로 들어올려 얼굴만 가리고 방으로 들어서서, 가능한 한 눈에 띄지 않게 벽 쪽으로 붙어 반쯤 돌아섰다.

오늘 기분 좀 어떠세요?

어, 뭐, 좋아요. 누구시더라.

아이, 왜 모르는 척하세요. 저 우주 조사국! 공무원! 공무원이에요.

어, 나라에서 나오셨어요. 아이고, 나라에서 나한테 왜 오셨을까.

예, 나라에서, 이유나진 할머님 얘기 들었잖아요. 그래서 찾아서 데려왔어요. 할머님 친구분!

친구요?

온 우주를 뒤져서 찾아왔어요. 온 우주에 통신을 보냈다고요.

통신요?

전화했다고요, 전화! 다른 행성에 전화, 걸었어요!

응, 난 무슨 소린지 뭐 모르겠네, 하하.

나는 이미 뭔가 잘못됐음을, 아니 실은 잘못된 것은 없으며 모든 것이 지극히 제 모습대로 굴러가고 있음을 알아차렸다.

이유나진 할머니, 니니코라치우푼타! 보고 싶다고 하셨지요?

니……코…… 뭐요?

이런 경우도 충분히 있을 수 있었다. 있을 수 있는 정도가 아니라 지극히 자연스러운 일이었고 엄마의 탓도, 사무장 탓도 아니었다. 의미를 알 수 없으며 다만 태초의 우주 어디서부턴가 온 그 발음, 그 이름을, 처음부터 없었다는 듯이 잊고 마는 일은. 엄마의 의식이 서 있는 승강장에 그 어떤 단어도 도착하지 않고 무정차 통과하는 일 정도는. 엄마의 뇌와 후두근에 잠깐 머물던 악마는 싫증났다는 듯이 떠난 지 오래였다. 이런 일이 생길 것 같아서, 돌아서면 자기가 했던 말도 다시 잊을까봐 나는 그토록 서두른 거였다. 그래도 그만큼 정밀 묘사를 했는데, 엄마와 내가 함께 파츠를 채택하고 조합하여 완성한 이 얼굴을 보면 조금이라도 뭔가 달라질까 하여 나는 그때까지도 얼굴을 가리고 있던 그의 손에서 카디건을 낚아챘다.

이 친구, 아시지요! 어릴 적에, 아홉 살 때!

내 등뒤에서 그는 무슨 표정을 지어야 할지 갈피를 잡지 못하면서 엉거주춤 서 있을 게 틀림없었지만 이제는 아무래도 상관없었다. 엄마는 니니코라치우푼타의 얼굴을 보고 한순간 움찔하기는 했지만 숨이 가빠오거나 심장에 무리가 오지는 않은 듯싶었고, 그저…… 그 얼굴이 옛 친구인지 다른 종족인지는 고사하고 우리 보통의 인간과 다르게 생겼다는 것을, 얼굴색이 보라든 초록이든 상관없고 그게 무엇인지 자체를 인식하지 못하는 것 같았다. 한 마디의 반응을 도출하기 위해 동원해야 하는 수많은 기억들, 그리고 지워버려야 하는 수사修辭들의 무게가 어깨를 짓눌러왔지만 나는 말없이 엄마를 기다렸다. 엄마는 그 모습이 눈앞의 공무원이나 사무장과는 구조라고 해야 할지 요소가 다르다는 것을 알아차린 듯, 손가락을 들어 그를 가리키고 사무장에게 동의를 구하는 식으로 물으며 난처하다는 미소를 띠었다. 이분은 왜…… 얼굴이 이렇지요?

내가 시동을 걸지 못하고 운전대만 부여잡은 채 손등에 이마를 기댄 동안 그는 뒷자리에서 묵묵히 앉아 기다렸다. 이미 가벼운 호흡곤란을 느끼고 있을 그를 위해 얼른 작업실로 돌아가서 저 마스크의 뒤통수를 세로로 갈라 조심스럽게 분리해주어야 하는데, 그냥 머리 위로 잡아당겨 벗을 수 있는 게 아닌데…… 그러나 손가락 하나 움직일 마음이 들지 않았다. 몇 시간에 걸쳐 니니코라치우푼타를 빚어낸 내 손가락만 하나하나 떨어져나가선 어느 블랙홀을 헤매는 것 같았다. 그때 굳이 배웅을 하겠다고 주차장까지 쫓아 나온 사무장이, 이 순간은 하나도 고맙지 않았다.

여기까지 와주셨는데 헛걸음해서 어쩌나요. 거기 마스크 쓰신 분도, 너무 힘드실 것 같아요.

그걸 알면 여기까지 따라 나오지 말고 더이상의 말을 보태지 않는 쪽이 그녀가 우리를 돕는 길이었지만 나는 억지로 웃었다.

괜찮습니다. 이럴 수도 있을 거라고 예상은 했어요.

그럼요, 그럼요. 워낙 어르신들 하루가 다르게 바뀌세요. 하루가 다 뭐예요, 조금 전에 했던 말도 잊으시는걸요. 그래도 우리 어르신 정도면 상태가 양호하신 거예요. 어차피 이게, 진행이 되면 됐지 예전으로 돌아오는 건 아니니까…… 줄기세포고 신약 개발이고 다 뭐, 과학자들이 자기 논문 쓰고 연구 실적 내느라고 하는 말이지, 그런 은혜와 축복이 우리 같은 일반인한테까지 당연하다는 듯이 내려와주지는 않으니까요.

하나 마나 한 얘기를 더 듣고 앉아 있느니 떨리는 손으로 운전을 하는 게 낫지 싶어 나는 서둘러 시동을 걸었다.

오늘은 이만 들어가볼게요. 다음에 또 연락드리겠습니다.

그 와중에 마스크가 아까웠는지 사무장은 실장을 곁눈질했다.

너무 실감나게 잘 만드셨는데 소용없어서 어째요. 이거 그대로 벗으셨다가, 나중에 또 필요할 때 쓰고 오실 수 있지요? 이유나진 할머님이 다시 찾으시면 바로 전화 드릴게요.

불가능한 건 아닌데, 이게 쉬운 일은…… 또 아니라서요. 하여간 문제 생기면 연락 주세요.

나는 말을 더 얹지 않고, 조금만 더 지체했다간 스스로의 심연에 익사할 것만 같은 자리를 탈출하는 데에 온 힘을 기울였다.

첫번째 신호등에 걸려 대기중일 때 뒷자리의 실장이 이면도로에서 차 붙이라고, 교대하자고 그랬다. 그러나 내가 그를 조수석이 아닌 뒷자리에 태운 까닭부터가 이 세상의 피조물이라고 보기 어려운 그 얼굴을 시야각 안에 넣어둔 상태로 운전하기가 정신 사나워서였는데, 하물며 그 상태로 운전을 시킬 수는 없었다.

오늘 헛걸음시켜서 미안해요. 가서 그 머리 빨리 떼어줄게요. 빚은 나중에 갚을 거고.

네가 제일 힘들 텐데 그런 거 신경 안 써도 돼.

그렇게 말하는 그의 목소리는 마스크 안에 미약한 구조 신호음처럼 갇혀서 내 귀까지 무사히 도착하기 전에 소멸하는 것 같았다. 어쩌면 삶에 뿌려지고 살에 스며드는 빗물 소리를 닮았다. 어느 순간 비 고인 진창에 미끄러져 길게 스키드마크를 남기는 차바퀴 소리 같기도 했다. 손안의 핸들이 진동했다.

오히려 이런 본격적인 분장은 오랜만에 해봐서 나도 공부가 됐고, 이렇게 겪어보니 모델들한테 좀더 신경써야겠다는 생각도 들고 하니까. 너 최선 다한 거 알아.

최선을 다했다는 구태의연한 위로의 약을 파는 문장이 내 뒤통수를 어루만지는 걸 떨쳐내기 위해 나는 고개를 흔들었다.

최선은 무슨. 해본 지도 오래됐는데요. 도대체가 이런 일이, 평소 잘 안 들어오잖아요, 우리가.

나는 신호를 받아 움직여야 하는 것도 어느새 잊었다. 한때 우리의 일은 설렘과 열정으로 구성되어 있다고 믿은 적도 분명 있었을 것이다. 기대와 보답은 무응답 수준만 아니면 된다고 믿었던 적도. 어디까지나 우리가 젊고 체력도 좋았을 때. 최악으로 치닫더라도 그 자리가 무심함이나 관성이나 염증으로만 채워지지 않으면 된다고 여겼을지도.

안 그래요? 손에서 감각이 다 떠나갔는데, 그냥 잘하는 사람 섭외해다가 모델링 프로그램 돌리고, 3D 프린터로 만들어 갈 걸 그랬나봐요. 끼웠다 뺐다 그게 더 쉬울 텐데. 힘 빠지게 이게 대체 무슨 짓이래. 어차피 자기가 무슨 말을 했는지도 모를 건데, 뭐하러!

핸들에 머리를 처박는 바람에 하릴없이 클랙슨만 길게 울리는 내 뒤통수에 대고 다른 차들이 출발을 종용하며 보내는 경적은, 동료들을 놓치고 불시착한 니니코라치우푼타의 고장난 우주선에서 새어나오는 마지막 비상벨 같았다.

한 계절이 바뀌는 동안 우리는 새 공연을 두 건 계약했고 겹치는 날짜가 있어서 팀을 나눠 움직였다. 하나는 시대극, 하나는 SF였다. 다소 무리가 되더라도 이 정도로 일을 굴리지 않으면 먹고살 수 없었다. 우선 마음놓고 공연을 보러 다닐 수 있는 사람들의 수가 적었다. 인구수도 적을뿐더러 예전 같으면 내 나이 때야말로 바로 그런 경제력과 활동력을 지녔다고 볼 수 있는데 중위 연령 61세의 시대, 공연도 보러 다니고 할 만한 내 또래 사람들이 상시 노동에 붙들려 있어서 즐길 여유가 없었다. 형편이 여유롭거나 자신이 소비하고자 하는 분야에 통 큰 지출을 아끼지 않는 소수의 마니아, 회전문 관객들에게 의지하면서 근근이 유지되는 산업인데, 어떻게 보면 공연이라는 형식이 아직 남아 있는 게 기적 아닐까? 즐기고 누릴 주체는 태부족인데 파이는 조각조각 나뉜 채, 이제는 종잇장처럼 갈가리 찢겨서 운영되고 있었다. 무언가를 만드는 사람이 또다른 걸 만드는 사람의 그림이나 노래를 구입해 주면서 구멍난 카드 돌려 막는 식으로 버티는 형편이었다. 그것은 예술이라는 명사에, 존재한다는 동사가 아닌 연명한다거나 서식

한다는 동사를 붙일 근거가 될 터였다. 우리는 다 죽어가는 예술에 산소호흡기를 씌우고 버틸 뿐 아니냐는, 근원적 내지 존재론적 고민이 들어설 자리는 없었다.

커튼콜이 올라가는 동안 가방을 열어보니, 붓과 주걱과 배우의 얼굴에서 손놓을 틈 없어서 놓친 부재중 전화 기록이 열 통가량 있었는데, 전화를 받지 않으셔서 남깁니다……로 시작하는 사무장의 메시지가 그보다 먼저 팝업 스크린으로 떴다.

당시 사용하시던 침구류는 소각했고 다음 입소자분들께 자리를 내드리느라고 방을 빠르게 치웠지만 개인 소지품은 이렇게 따로 모아두었으니 유족께서 확인하시라고, 사무장이 별도의 접견실로 나를 안내했다. 천천히 꺼내보시고, 혹시라도 귀중품 같은 거나 가족에게 특별한 의미가 있는 물건을 분류하세요. 필요 없으신 건 이 바구니에 다 버려주시면 저희가 처리해드려요. 간단한 장례를 치르고 주변인들에게 인사를 전하는 등 부모의 죽음과 관련한 최소한의 절차만 집행하고 눈 붙일 새 없이 곧바로 왔는데도 어느새 일주일이 흘렀다. 반년씩 방치해두시고 방문을 안 해주시는 유족분들이 계셔서 원래는 물품 보관비를 별도로 징수하거나 문자 통보 후 유품을 모두 폐기 처분하는데, 이번 경우는 다음 회차 요양비 출금 전까지 기간이 꽤 남아 있었으므로 특별히 잘 관리해두었다는 사무장의 부연이 있었다.

엄마의 소지품은 이삿짐 상자로 한 개뿐이었다. 변변찮은 실내용 옷가지와 생전에 먹던 처방약, 미개봉 상태나 소진되기 전의 각종 일회용 위생용품을 버리고 나니, 상자 안에는 방전된 지 한참 지나 부식된 내용물이 모서리로 새어나온 전자책 단말기와 수첩 그리고 펜 한 자루만 남았다. 엄마는 사십 년 전부터 전자책을 읽던 사람이었다. 광속光速이자 광속狂速으로 바뀌는 문화 환경에 잘 적응하는 X세대의 일원이었고, 꾸준히 젊은 사람들—신입생을 만나 그들의 사고와 유행을 흡수하지는 못하더라도 최소한 알아두는 사람이었다. 스마트폰을 다방면으로 활용하는 것은 물론, 전염병이 창궐하여 정상적인 강의를 하지 못하던 시절 다른 늙은 정교수들이 조교의 도움을 받아 더듬거리며 마우스나 클릭하고 자빠졌을 때 엄마와 동료 강사들은 거침없이 실시간 화상 수업을 열었다. 그 시대의 클래시컬한 블리자드사社의 게임에 접속해서도 던전을 훨훨 날아다니는 고수는 아니지만 어쨌든 캐릭터 조작을 할 줄은 알았고, 키오스크 앞에서 팔십대 노인들이 어쩔 줄 몰라 하며 망설이고 있으면 나서서 터치와 주문을 대신해주는 한편, 무인 단말기의 형태와 방식이 점점 바뀌어 매번 새로운 도전 과제를 던져주어도 일흔 중반을 넘을 때까지 문제없이 수행했다. 그건 비슷한 문화 환경 속에서 평균 이상의 교육 혜택을 받고 부단한 향상심과 자립심 내지 창조성을 배양하거나 종용하는 분위기에 둘러싸여 평생을 산 엄마 또래 친구들 대체로 그러했기에 엄마만 특별한 건 아니었지만.

그러나 아무리 IT 문명을 제 옷처럼 입고 살았던 사람이라도, 그 옷을 낡아진 육체 위에 억지로 껴입을 권리까지 획득하지는 못했다. 특히 엄마와 같은 유형의 노인성 질환자들에게는, 우리 부모님이 고등교육을 받고 유학까지 다녀오신 전문가인데 이럴 수는 없다고 자식들이 항의하더라도 예외가 허용되지 않았다. 상태에 따라 차등과 예외를 두는 경우가 왜 없겠는가만 대부분의 노인들은 입소시 스마트폰이나 개인 노트북 컴퓨터를 지참할 수 없었다. 한두 명에게 열기 시작하면 모두가 그게 무언지 정확히 인식하지 못하더라도 기계를 건드려보기 원하므로 관리에 어려움을 겪는다고 했다. 관련 사고가 세 번 있었다고 했다. 대표적으로는 데이터 용량을 채운 스마트폰을 부친의 방으로 넣어주었다가, 부친과 한방을 쓰는 노인이 그걸 자기 것처럼 만지작거리면서 게임 아이템까지 지르는 바람에 요금 폭탄을 맞고 기겁한 보호자가 요양원 상대로 관리 소홀 책임을 물어 소송을 건 일. 잦은 폭력 성향 때문에 퇴소 조치를 고민하던 한 노인은, 사무장이 자리를 비운 틈에 요양보호사가 제지하는 걸 뿌리치고 사무장의 노트북을 들어다가 모서리로 다른 노인의 정수리를 찍은 적이 있다고 했다. 아무리 작고 가벼워도 노트북이 깃털은 아니고 고기 한 근 정도 무게는 나갔기에, 그걸 낚아채듯이 집은 노인도 손목이 애매한 방향으로 꺾여 깁스를 했고 그걸 맞은 노인은 응급실로 실려갔다.

그뒤로는 사무장도 자기 자리에서 휴대 가능한 노트북이 아니라 이제는 중생대의 유물이나 다름없이 극히 일부 시장에서 사제로 생산되는 탱크 수준의 풀 옵션 데스크톱을 쓰게 되었다고 하는데, 사실 그런 케이스는 굳이 노트북 아니라 다른 걸 들어다가 휘두를 수도 있으니 그리 본질적인 문제는 아니겠고 진짜 우려하는 건 마지막 사례인 듯했다. 또다른 노인이 우연히 잠깐 기억난 자기 아이디와 비번으로 국내 최대 포털 사이트의 게시판에 접속해 자식들이 이상한 데다 가둬놓았으니 도와달라고 구조 요청을 올리는 바람에, 경찰이 아이피 추적을 하고 요양원으로 찾아오기까지 한 것이다. 글을 올린 장소나 오락가락하는 문맥으로 보아 어찌된 일인지 대강 알아차렸지만 워낙 많은 이들이 중복으로 사건 신고를 넣어주는 바람에 일단 안 와볼 수는 없었다는 입장이었고, 그 일은 이튿날 기사화되기도 했다.

그러나 엄마의 전자책 단말기는 워낙 구형 흑백 버전으로 인터넷 접속 자체가 원활하지 않고, 무기로 사용할 생각이 안 들 만큼 작고 가벼운 크기에다가, 이미 구입해놓고 다운로드한 삼백여 권의 전자책 외에는 새로운 도서를 추가할 수 없을 정도로 사양이 낮은 거라고, 이걸로 다른 용도의 인터넷 사용은 불가능하며 접속에 성공한다고 해보았자 국립도서관과 인터넷 서점 외에는 다른 사이트로 들어갈 경로도 결제 시스템도 없는, 개인 취향의 스텐 머그컵 내지 애착 이불 같은 거라고 통사정해서 엄마의 짐 속에 끼워 보낸 거였다. 엄마는 말을 많이 하던 사람이었고 이제 말을 잃어가는 중이니 말로 된 것을 하루라도 더 보게 해달라는 소원이었다. 어차피 충전 수명도 얼마 남지 않았고 이걸로 할 수 있는 일은 정말로 책 보는 것 말고는 없다. 무슨 책을 열람해도 재미없는 글자만 가득하니 다른 입소자 분들도 관심 갖지 않을 것이다…… 망가지거나 분실되더라도 요양원에 관리 책임을 묻지 않을 것이며, 결단코 그럴 일도 없지만 엄마가 이걸 휘둘러서 타인을 다치게 한다면 그 치료비 일체를 지불하겠다는 각서를 쓰고 넣어둔 단말기였는데, 실제로 엄마가 이곳에서 지내는 동안 몇 번이나 이걸 열어보고 사용했는지는 이제 확인할 수 없지만, 몇 권을 들여다보았느냐가 중요하지는 않았다. 전자로 된 단말기라는 것은 엄마가 한때 지적인 사람이었다는 기억을 하루라도 더 오래 갖게 해주는, 일종의 흔적일 뿐이었다.

수첩은 앞부분 몇 장 기록된 것 말고는 텅 비어 있었으며, 그나마도 의미를 알 수 없는 글자들의 나열이었지만 일단 글자이긴 했다. 그 짧은 어구들 속에 다행인지 불행인지 니니코라치우푼타의 이름은 없었다.

그중 한 페이지에 시선이 멈추었다. 사실인지 임의 기록인지 알 수 없는 일 년 전의 날짜 아래로 '사무장한테 유에스비'라고만 적혀 있었다. 내가 엄마의 가방에 넣어 보낸 것은 전자책 단말기였지 별도의 저장 장치가 아니었고, '한테'라는 조사는 일상 구어에서 문장의 서술어가 드러나지 않을 경우 from이나 to 어느 쪽으로든 통했다.

이게 뭔가요? 엄마가 USB를 사무장님께 맡긴 게 있나요? 아니면 엄마한테 USB를 주신 적이 있나요?

수첩을 내밀었을 때 사무장은 잘 기억해내지 못하는 표정이었다. 실은 엄마가 혼자만의 망상 속에서 기록했을 가능성이 더 높지만 망상이라면 보통 사무장이 때린다 흉본다 내지는 사무장 싫다 같은 내용일 텐데, USB라는 구체적인 사물을 언급하니 그냥 지나칠 수 없었다. 그것도 이제는 사진기의 필름 수준으로 거의 단종된 거나 다름없는 고대 유물의 이름을. 엄마 세대의 사람들 가운데서도 매달 결제하는 방식의 온라인 드라이브에 자기 데이터를 죄다 보관해두고 이용하기를 부담스러워하거나 낯설어하는 이들은 분명 있었고, 회사생활 경험이 일찍 중단된 경우 그런 웹하드 구독 서비스의 존재조차 알 필요가 없는 삶을 영위한 사람들도 있었다. 젊어서 5.25인치와 3.5인치 플로피디스크라는 걸 썼던 엄마는 설령 실수로 밟아서 결딴나더라도, 때론 바이러스를 옮기는 매개가 되는 위험을 감수하고서라도 실물 메모리에 데이터를 담아 들고 다니기를 선호하는 타입이었다.

사무장은 지난 업무 일지를 클릭하고 세부를 검토하면서 고개를 갸우뚱하다가 손뼉을 딱 쳤다. 아! 그거 생각났어요…… 별말 없이 잘 지내던 엄마가 어느 날 문득 사무장의 책상을 기웃거리더니, 노인들에게 개인 컴퓨터를 쓰지 못하게 하는 방침에 대해 이의를 제기했다고 한다. 요양원에 계신 노인들 대부분이 젊은 시절 경제활동과 사회생활 경험이 있었으므로, 자신이 바깥세상에서 어떤 위치를 점유하는 인물이었는지를 거드럭거리는 이들에게 원장도 사무장도 이골이 나 있었다. 그러나 엄마는 다행히도 내가 누군지 아느냐 너희가 감히, 부르짖으며 닦아세우는 타입은 아니었고, 다만 꼭 다시 보고 싶은 영화들이 있는데 컴퓨터가 없으니 도대체 뭘 제대로 볼 수가 없지 않느냐며 하소연하더라는 것이었다. 이유나진 할머니, 우리 일주일에 한 번씩 홀에 모여서 영화 보잖아요. 그건 재미없으세요? 원하는 작품이 혹시 따로 있으세요? 말씀해주시면 저희가 알아볼게요. 그러자 엄마는 일없다는 식으로 뜸들이다가 대답하기를, 제가 찾는 건 여기 다른 사람들이 안 좋아할 텐데요. 워낙 유명하지도 않고 즐거운 것도 아니고. 그게 그러니까, 마이너하다고요. 취향이 달라. 여기 홀에서는 세상 사람들이 다 알고 많이들 찾는 거 봐야지, 메이저. 대중성. 메인스트림! 그만한 건 나도 알아요. 그렇게 옥신각신하다가 결국 사무장은, 본인이 아직 해지하지 않은 영화 구독 사이트가 있으니 필요한 걸 말씀하시면 찾아주겠다고, 틈틈이 바로 이 자리, 사무장 옆에 앉아서 보게 해드리겠다고 약속했다. 정말 돼요? 저장도 되느냐고요. 사무장은 다운로드 옵션이 따로 없다고 말할까 하다가, 그 설명을 할 엄두가 안 날뿐더러 어차피 언제든 자기 아이디로 로그인하여 업무용 컴퓨터로 보여줄 생각이었으니 저장이 되나 마나 다를 바 없겠다는 생각이 들었다고 한다. 그럼요, 저장도 돼요. 여기다가 넣어드릴게요. 저장은 해드리고, 그런데 제가 맡아둘게요. 어차피 컴퓨터가 여기 있잖아요. 그렇지요? 여기서밖에 못 보니까. 아시죠? 그렇게 말하면서 사무장은 마침 책상에 있던 USB를 집어다가 흔들어 보였다. 그것은 요양원 운영 자료가 담긴 USB였다. 응, 그거 나도 알아요. 여러 번 써봤지, 유에스비, 거기다가 논문이랑 동영상 같은 거 무척 많이 담아 다녔지. 그렇게 안심하고 나서 이틀 뒤 엄마는 이 목록대로 찾아서 담아달라고, 보는 건 사무장님 형편 될 때 천천히 보겠다고 종이쪽지를 하나 주었는데, 거기에 무려 서른 편이 넘는 영화 제목이 적혀 있어서 사무장은 놀랐다. 첫째로 이 많은 제목들을, 비록 상당수가 부정확하긴 하지만 기억에 의존하여 적었다는 것. 둘째로 언제 세상과 작별할지 모르는 어르신도 지금 이렇게 보고 싶은 게 많다는 사실에 대하여. 찾을 수 있는 건 다 찾아서 여기 저장해둘게요! 사무장은 다시 한번 USB를 들어 보이며 강조하고 영화 구독 사이트를 뒤졌다. 영화는 모두 엄마가 요양원에 들어오기 전에 공개된 다소 오래된 작품들이었고, 그중 대부분이 비인기작인데다 사무장으로서는 예닐곱 편 정도를 제외하곤 세상에 이런 영화도 있었나 싶은 제목들이 대부분이어서, 어떻게 이런 마이너한 작품들을 알고 계실까, 시네필이었나, 싶은 마음으로 찾아나가면서 위시리스트에 등록했다고 한다. 그러나 흔히 고정관념으로 떠오르는 시네필이라기에는 또 좀, C급에 가까운 B급들이 대부분이었다고. 사무장 본인이 구독중인 영화 사이트에서는 그 목록 가운데 절반가량만 발견했기에, 있는 것들마저도 공급 계약이 종료되고 내려가기 전에 아무거라도 함께 보자 싶어서 엄마를 불렀을 때는, 이미 사무장에게 무엇을 부탁했는지 엄마가 잊어버린 다음이었다고.

그 목록 혹시 아직 갖고 계세요? 이제 와서 소용없지만 그래도 엄마가 마지막 순간에 한 조각의 기억으로 가져갔을지 모를 니니코라치우푼타에 대한 정보를 얻을 수 있을까 싶은 마음이었다.

그게요, 사실은. 제목을 다 정확하게 쓰신 건 아니어서요. 예를 들어 어떤 건 단어 하나 빼고 다 틀리고 하니까 저도 키워드 여러 개 조합해서 찾고 추측도 하고 그랬어요. 제가 최근 구독 서비스 그거 돈만 나가고 볼 틈도 없어 해지해버리는 바람에, 위시리스트가 다 지워져서…… 사무장은 입을 쉬지 않으면서 서류철을 뒤적이고 서랍을 휘젓고 필기구 트레이도 뒤집다가 마침내 종이쪽지를 찾아냈다. 이거네요!

종이쪽지를 끼운 수첩 한 권을 제외한 모든 물품을 임의 폐기처분 바구니에 넣고, 요양원측과 자잘한 서류 정리를 마친 뒤 나왔을 때는 한밤중이었다. 이마저도 깨끗하게 종결된 게 아니라 추후 건강보험공단에서 보내오는 자료에 따라 이메일과 전자서류

서명이 더 오고가면서 크로스 체크를 할 게 있으니 자녀분이 연락을 잘 받아주셔야 한다는 당부가 뒤따랐다. 죽음과, 판정과, 처분과, 그 모든 것을 둘러싼 집행 과정이 실형이고 노역이었다.

실장의 부재중 전화가 두 통 걸려와 있었고, 마지막으로 도착한 문자는 지금 너 있는 곳으로 갈게, 였다. 내가 한번 작업실을 엎어버린 뒤로 실장은 문자 하나를 보낼 때도 날것의 말을 줄이는 등 신경썼는데, 그건 지렁이가 꿈틀한 데 놀라서라기보다는 아마도 그가 나 외에 그런 상태의 엄마를 본 유일한 사람이 되어버렸기 때문인지도 몰랐다. 엄마 소식이 막 들어왔을 때도 이곳 정리 상관하지 말고 지체 없이 가보라며 등 떠밀어 보내는 한편, 공연 정리가 끝난 뒤 팀원들과 뒤풀이도 없이 장례식장으로 왔던 사람. 우리 사이의 골은 얕지 않았고 나는 여전히 그의 다짐이나 약속을 의심하고 있다. 사람은 변하지 않고 고쳐 쓰는 거 아니라는 먼 옛날의 속담들을 감안할 때 그는 언제든 손바닥을 뒤집을 수 있겠지만, 불행을 통과한 사람에 대한 최소한의 예의를 당분간은 지킬 것이었다.

그때 마침 또 한번 벨이 울려서 이번에는 받았다.

처리할 게 좀 있어서요. 예, 괜찮아요. 안 오셔도 돼요. 운전 잘할 수 있어요. 잠깐 저 뭐 하나만 확인하고 바로 출발할 거예요. 내일 일정만 간략하게 말씀해주시면……

실장의 말을 듣기 위해 스피커폰으로 돌려놓고 수첩을 열어 종이쪽지를 펼쳤다. 명료하지 않은 연필 글자 위로 깨알같이 적힌 물음표와 수정 표시가 사무장의 노력을 보여주고 있었다. 나조차도 업계 종사자가 아니었으면 몰랐을 제목들이 나열되었는데 예를 들면 〈당거리 슬픈〉이라는 건 〈단거리 주자의 슬픔〉을 말하는 거였고, 이것이 백여 년 전 영국 영화 〈장거리 주자의 고독〉을 제목만 경박하게 패러디했다는 사실은 그야말로 아는 사람만 알 터였다. 〈내일의 손님 하나〉라고 쓴 영화 제목은 실제로는 〈미래의 방문객 하나〉였다. 나는 모를 수가 없는 제목이지만 사무장은 이걸 대체 어떻게 찾았는지 모를 일이었다. 그렇게 하나하나 목록을 일별해나가다가 나는 문득 그 제목들 사이의 유일한 공통점을 발견했다.

스피커폰 너머에서 실장이 나더러 출발했느냐고, 지금 괜찮으냐고 물었다.

그…… 실장님 예전에 우리, 외계인 마스크 만들었던 거요. 그거 아까우니까 절개선 붙여서 인테리어로 둔다고, 댁으로 가져가셨잖아요.

그 영화들은 겉으로 보기에는 장르도 성과도 제각각이며 어떤 감독이 메가폰을 잡았다든지 어느 배우가 출연했다든지 그런 걸로 한데 묶을 수 없었다. 심지어 그중 어느 것도, 니니코라치우푼타에 대한 작은 실마리조차 주지 않았다.

마음이 바뀌었어요. 그거 우리집에 갖다 둘래요.

엄마가 서툴게, 그리고 빼곡하게 적어둔 영화 제목들은 모두 우리 작업팀이 분장에 참여한 작품들이었다. 내가 십오 년을 일했지만 변변한 부와 명예는 얻지 못했던, 당연히 주연배우와 감독의 명성 뒤에서 그늘로 움직였던. 웬만한 시네필이 아니고서야 대부분 끝까지 지켜보지 않으며, 구독제 영화 사이트에서는 아예 '스킵하기'가 디폴트로 설정된 엔딩 크레디트 자막에조차 개개인의 이름 대신 사무실 작업 팀의 이름으로만 실리게 마련인.

이유는, 차차 말씀드릴게요. 지금 조리 있게 설명하기가 좀 그래요. 아무튼 우리집에 두고 싶어요. 다음번에 가지러 갈게요.

누구에게 영화 포스터를 들이대곤 이 주인공의 흉악한 분장을 내가 세 시간 동안 맡았노라고 일일이 도시락 싸들고 다니면서 자랑하지 않으면 아무도 알아주지 않는. 하여 우리 사무실 바깥에서는, 즉 이 세상에서는 나의 엄마만이 알고 있는. 아니 이제는, 알고 있었던.

아니에요, 그건 안 괜찮아요. 아 진짜, 우리집이라는 게 의미가…… 알았어요, 제 집으로요. ……무슨 말씀을 하시는 거예요. 저는 단 한 번도 살림을 합치자고 제안드린 적이 없어요. 이건 분명히 해요. 글쎄요, 뭐 그건 앞으로 실장님 하시는 거 봐서요.

목소리가 떨리기 직전 서둘러 통화를 마치고, 낡은 종이쪽지에 적힌 엄마의 글씨가 더 훼손되어 마침내 지워지지 않도록, 다시 수첩 사이에 고이 끼워두었다.

수없이 흥행에 실패한 SF 독립영화와 상업영화들, 그 어느 장르보다 고난도의 특수 분장이 필요하지만 이제는 무수히 복제 가능한 대체재가 넘쳐나는 영화들 사이사이에 니니코라치우푼타의 파편이 있었다. 그것은 엄마가 유년에 실제로 만난 외부의 방문객. 혹은 젊은 날 쌓아올린 수많은 지성과 교양의 성채에 금이 가서 허물어진 뒤, 베수비오 화산의 유적지와도 같은 인지 공간에 남아 있는 스키마를 동원하여 말년에 조악한 상상으로밖에 빚어낼 수 없었던, 세상 유일하고도 절대적인 존재. 누구도 그 이름의 의미를 알지 못하며 어떤 국가의 글자로도 쓸 수 없으나 태초의 우주 어디에선가 내려와 지금 이 자리에 실존하는 말. 세상 어느 민족에게서도 발견되지 않은 기원전 신화의 끝자락에서 왔을지도 모르는 이름. 낱낱의 발음을 입속으로 찬찬히 굴리는 동안 그것은 일자一者이자 진리이자 세계정신을 가리키는 다른 이름이 되었다.

# 노커

당시 동행했던 친구 지혜의 말에 따르면 다정은 발작을 일으키고 쓰러지기 전 신원 미상의 사람과 세게 부딪쳤는데 이는 인파에 부대낀 피치 못한 접촉이라기보다는 상대방이 굳이 다가와 일방적으로 구타한 것에 가까웠다고 한다. 다정과 지혜가 승강장에서 각자 휴대전화를 들여다보면서 열차를 기다리던 중, 신도림행 열차가 도착한다는 차임벨이 울림과 거의 동시에 지혜가 고개를 드는 순간 지나가던 누군가가 다정의 어깨를 치는 모습을—그냥 닿은 정도가 아니라 미들 블로커가 스파이크 서브를 날리듯 고의로 손을 휘두르는 장면을—목격했다는 것이다. 보통 지나가던 친구가 뒤에서 다가와 우연이네, 반갑다, 하며 갑자기 툭 쳤다면 맞은 사람은 깜짝 놀라 들고 있던 전화를 떨어뜨린다든지 일시적으로 불쾌할 수는 있어도 그런가보다 하고 말겠지만 다정을 친 사람은 즉시 자리를 빠져나가는 걸 보니 지인도 아닌 모양으로, 이렇게 사람 많은 데서 대놓고 퍽치기라니 뭐야 미쳤나봐 누구야? 소리치며 다정이 그를 뒤쫓기 시작하자 지혜도 따라갔다. 후드를 뒤집어 쓴 이의 얼굴을 보지 못했으나 생면부지의 타인에게 시비를 걸었으니 지구대에 넘길 이유로는 충분했고, 그 찰나 지갑을 털었거나 가방에 무언가 오물을 슬쩍 투척하고 갔을지도 모르는데 상대방을 쫓아가면서 복잡한 고리로 장식된 가방 지퍼까지 열어 확인할 틈은 없으니, 저놈을 잡아 직접 물어야겠다고 분기탱천하는 다정을 뒤따르는 짧은 순간 지혜의 머릿속에 몰아친 생각들, 가슴이나 엉덩이가 아닌 어깨를 치고 돌아선 만큼 성추행으로 인정받기는 어렵지 싶고 폭행 건으로 시비를 가릴 수 있으려나, 붙들어서 지구대에 넘겨보았자 훈방으로 풀려날 텐데 허무하지 않을까, 너는 정말 어쩌면 이렇게 강단 있고 똑 부러지기까지…… 겁 많고 위축된 나라면 재수 없는 날이었다고 SNS에 털어놓는 게 고작일 텐데…… 지혜가 거기까지 생각했을 때 앞서간 다정은 괴한의 후드 점퍼 자락을 붙들고, 저 좀 봐요 나 치고 간 거 맞지요? 다정이 잡아채는 대로 상대방이 절반쯤 몸을 돌렸고 좀 있으면 뜀박질이 느린 지혜도 그 자리에 닿을 터였는데, 지혜는 다음 장면을 보곤 자기도 모르게 그리로 다가가기를 잊고 멈춰 서버렸다는 것이다. 지혜의 시야각에서는 다정과 상대방이 마주보고 선 옆모습이 보였는데, 후드 인간에게 무언가 더 따지지 않고서 다만 그를 뚫어지게 응시하며 굳은 듯한 다정의 모습에 어 뭐야 설마 아는 사람이었니 오래전 지인이냐 말이라도 붙여보려다가, 그러나 친구라면 반가워해야지 원수라도 뭐든 반응이 있어야지 왜 말없이 섰나 의아한 마음이 드는 순간, 내용물을 비워버린 부대처럼 다정이 그 자리에 주저앉고 후드 인간은 곧 저 갈 길을 가더라는 것이다. 어 왜 그래! 비로소 뛰어가 다정의 안색을 살피다가 저놈 뒤를 쫓아야 하는지 관둬야 하는지 판단이 서지 않아서 망설이다 후드를 놓쳐버린 일이, 이제 와서는 후회된다고 지혜는 조사실에서 울었다. 그러나 당시에는 누구라도 후드를 포기할 수밖에 없었을 거라고, 친구가 멍하니 넋만 놓았다면 모를까 이어서 자기 목을 두 손으로 부여잡고 헐떡거리는데 어떻게 그쪽을 쫓아가느냐고, 영문 모르고 119를 부르기에 급했다고. 구조대원들이 오는 동안 한 노부인이 들고 가던 마른 나물을 쏟아버리고 비닐봉지를 건네주기에 그걸 다정의 입에 대고 천천히 숨을 쉬어보라고 말한 뒤 조심스럽게 등을 두드렸는데, 후— 하— 불규칙하고 빠르게 숨을 쉴 듯 말 듯 하다가 다정은 다음 순간 그 봉지에 점심 때 먹은 내용물 일부를 토해냈고, 고른 호흡이 돌아왔나 싶을 때쯤 흰자위를 조금 드러내며 모로 쓰러졌다고 한다.

여기까지는 백번 양보하고 감정적으로 노력하여, 인구 밀도가 높은 도시에서 모르는 사람들과 부대끼며 살다보면 생기는 운 나

뿐 일이라고 간주할 수도 있다. 그뒤로 별일 없이 깨어나고 부딪친 어깨에 멍도 들지 않았다면. 괴한은 놓치고 경찰에서는 사건성이 없다고 상대해주지 않는 데 대한 분한 마음을 알아서 잘 추스른다면. 눈을 뜬 다정이 엄마를 보고 어 어어 우를 비롯한 몇 개의 모음 외에 입 밖으로 말을 내지 못하는 상태가 아니었다면 말이다. 괜찮니? 무슨 일 있었는지 아니? 엄마가 묻는 데에 고개를 주억거리는 걸로 보아 다정은 기억을 잃지 않았고 CT와 MRI 검사 결과 모두 정상이었으며 인지 기능도 손상되지 않은 것 같았는데, 후두근이 마비된 것처럼 엄마, 한마디를 내지 못했다. 민주는 딸의 상태를 보고, 무엇을 보았는지 혹은 겪었는지 모르지만 충격을 받아서 그럴 뿐 얼마쯤 지나면 괜찮아질 거라고 믿었다. 무의식의 바다에 쓰레기를 투척한 자를 잡는 건 나중 일. 그 바다 안에서는 무의미와 유의미의 원생생물이 흘러가고 그중 극히 일부의 사고만이 육지로 올라와 사람의 말로 진화한다. 마, 마아, 무, 엄, 암, 엄마. 보통의 존재가 태어나 처음 배우는 말. 그 말이 다정의 입 밖으로 태어나기 위해 형태를 막 갖추려는 순간, 아직 누구도 이름을 지어주지 못한 심해어의 송곳니가 그것을 갈기갈기 찢어버린다. 말하려고 애를 쓰면 쓸수록 혀가 입천장에 달라붙기라도 한 듯 신음만 조금 나오다 말아버린다. 제 목을 스스로 졸라도 보고, 답답한지 가슴도 쳐보는데 기침과 외마디 음절 이상은 끝내 들을 수 없다. 민주는 딸이 무엇을 보고 그렇게 충격받았는지 정황을 파악하기 위해 그 앞에 노트 태블릿을 올려놓고 메모장 애플리케이션을 연다. 인어공주가 마녀에게 혀를 빼앗긴 대신 글을 쓸 줄만 알았더라도 진실은 밝혀지고 동화의 결말도 속시원하게 바뀌었겠지. 어디까지나 왕자에게 선택받고 사랑을 이룸이 동화의 목적이며 삶의 핵심이라는 전제가 있다면 말이다. 언어가 본질적으로는 오류와 망상을 낳는 괴물이라 해도 최소한의 의사 전달 통로이긴 하다. 혈관 내벽에 이물질이 끼이고 쌓였더라도 어쨌든 피가 웬만큼 돌아야 살 수 있듯이. 그러다보면 어느 순간 작은 이해를 기대해볼 수도 있고. 그것이 실은 이해라는 외피를 쓴 마취제-위로에 불과함을 알더라도 말이다…… 그러니 이 순간은 물어야 하고 알아내야 한다. 그 사람은 누구였지? 아는 사람이었니? 혼란스러울 테니 한 번에 한 가지씩만 질문해야 한다. 후드 쓴 사람과 만났던 걸 기억해? 다정은 고개를 끄덕인다. 아는 사람이었어? 다정은 고개를 가로젓는 동시에 손도 휘저어가며 격한 부정을 표한다. 그 사람을 보고 왜 가만히 있었지? 여기부터는 최소한의 진술이 필요하다. 단순 명료한 흑백의 손짓이나 고갯짓으로 때울 수 없고, 옷자락을 잡아 제게로 돌려세웠는데 그의 얼굴을 비스듬히 횡단하는 큰 칼자국이 있어서 놀랐다든지, 혹은 상대방이 코앞에 대고 주위에는 들리지 않을 만큼 작은 소리로 저속하고 폭력적인 육두문자를 뱉는 바람에 기함했다든지, 뭐가 됐든 두 단어 이상을 동원해서 표현해야 한다. 다정은 머리를 긁다가 주먹으로 가슴을 두어 번 치곤 손을 들어 태블릿 키보드에 올려놓는다. 당시 상황에 대한 정보가 마음속에 고스란히 보존되어 언제라도 인출 가능하다는 듯, 분기에 찬 눈을 하고서 화면을 들여다보고 어떻게든 손을 움직여 말을 만들어보려고 한다. 그러나 본인은 진지하게 입력을 한다고 하나본데 막상 화면에 띄워진 글자는 ㅣㄹㅓㅇㄴㅂㅎ미ㅇ츷ㅁ얏ㄷㅂㅁ숴 하는 식이다. 처음 깨어났을 때만 정신 착란 상태를 잠깐 보였을 뿐 지금은 사물과 사태에 대한 인지가 되어 있고 회상 등 보편적인 사고 회로가 돌아가는 눈치인데도, 그걸 말로 표현하려고만 하면 두 손은 난기류에 휩싸인 기체와 같이 흔들린다. 본인도 화면을 보니 자기가 나타내려던 뜻과 전혀 다른 말이…… 그보다는 뜻이랄 것을 갖지 못한 무언가가 나왔음을 아는지, 계속 지우고 두드리고 또 지우고 그러다가 손가락이 부러져라 태블릿을 때리곤 급기야는 들어다가 내동댕이친다. 자, 괜찮아. 그럴 수 있어. 민주는 캐비닛 모서리에 부딪쳐 파손된 태블릿을 치우고 이번에는 연필과 에이포지 한 장을 놓는다. 그 사람과 마주본 순간 무슨 일이 있었어? 말로 표현하지 않으면 그 사람의 존재와 너의 급변한 상태 사이에 상관관계를 추론하기 어렵고, 경찰은 신고를 접수해주지 않을 것이다. 그 사람을 찾지 않을 것이다. 과장 좀 보태어 옷깃만 스쳐도 떼어주는 전치 이 주 진단서는 진작 받아놓았지만, 타인의 어깨를 한 번 쳤다는 사실만으로 입건할 가능성은 크지 않을 테니. 까마귀 날자 떨어진 배라고 하더라도 그 날개에 배가 슬쩍 빗맞기라도 했음을 강조해야 한다. 그자가 어깨를 치는 바람에, 그자와 마주보는 바람에 말을 할 수 없게 됐다는 근거를 찾아야 한다. 없으면 인과관계를 만들어내서라도.

차라리 태블릿에 입력을 시도했을 때가 그나마 음소라도 나열되어 언어와 비슷했을까. 이번에는 더욱 알아볼 수 없는 선과 점, 도형도 글자도 되지 못한 파편들이 종이 위에 그어진다. 손에 힘이 없어서가 아니라 뇌에서 떠오른 말들이 손까지 도착하기 전에 누군가가 회로를 차단한 것 같다. 말을 떠올리고 사용해야 할 뇌의 공간을 공포와 경악이라는 즉물적 감각에 통째로 양보한 것처럼. 양보가 아니다. 약취, 침탈, 점령당한 사고의 맥분이 말의 빵으로 빚어지지 못한다. 말이 혀뿌리에 걸려 부서지고, 말을 형상으로 방출할 글자가 뇌리에서 증발하는 증상을 부르는 이름이 있을까? 이것을 실서증의 일종이라고 보아도 될까? 쓸 것을 '떠올린다'는 특정한 조건 아래에서 문제가 생기는 거라면, 글자가 어떻게 생겼는지를 완전히 잊은 건 아닌가? 민주가 종이에 먼저 '너'와 '나'를 적는다. 이게 뭔지 알겠니? 이 둘의 차이를 알겠니? 다정이 고개를 끄덕이기에 민주는 이대로 따라 적어보라고 한다. 문제를 하나씩 차근차근 해결해야 한다. 옮겨 적기가 가능한지, 글자의 형태를 인식하고 그대로 구현할 수 있는지가 선결되어야 한다. 다정은 연필을 쥐고 참을성 있게 손을 놀려보지만 그 결과물은 너도 나도 되지 못한다. 한국어 글자는 어렵다. 받침이나 겹자음, 이

중모음이라도 나오면 더욱 그렇다. 알파벳은 쓸 수 있니? S 써봐, S. 안 되나? C는 어때? L은? 글자를 쓰기 위해 숱하게 노력한 흔적은 I 비슷하게 생긴 무언가와, S가 되려다 만 지렁이, 움라우트를 닮은 점 같은 것으로 종이 위에 남는다. 마침내 다정은 연필을 들어 수차례, 종이가 찢어질 때까지 찍어내린다. 방치하면 자기 손이나 목을 찌를 것 같아 말리다가 정말로 민주의 광대뼈 부근에 연필심이 박히는 참사가 일어나지만, 눈이 아닌 게 어딘가. 나타내고 싶은 것이 있고 그게 어떤 모습이었는지도 아는데 전달할 수 없는 절망에 비하면 상처는 깊지 않다. 무언가를 쓰거나 발음하여 의사 내지 의문을 표현하는 당연함, 어제까지 누린 평범을 잃은 혼란과 피로에 비하면 말이다. 말은 공기와 닿으면 꺼져버리고 마는 거품. 그것의 당연함에 의지하여 남발하고 휘두르다 늘어난 인대, 찢어진 섬유질. 안정제를 맞고 잠들었다가 정신을 차린 다정은 무엇을 이리 가져오라는 듯이 손짓한다. 이거 다시 줘? 이제 괜찮아? 민주가 연필과 종이를 들어 보이자 고개를 끄덕이는 걸 보면 충격과 공포로 말을 잃었을 뿐 사고 체계는 기능하는 것 같다. 언어로 무언가를 나타내어 타인을 이해시키기는 일단 포기했는지 다정은 선을 그어나간다. 그림으로 어떻게든 표현해보려는 요량인데, 애초에 다정의 그림 실력이란 문예비평가 아이버 리처즈가 남긴 불후의 영어 교재에 등장하는 도형 인간들 정도의 수준이다. 그래서 그 결과물은 후드를 씌운 것으로 추정되는 동그란 머리통의 아우트라인, 그 안에…… 다정은 으레 눈알이 있다고 여겨지는 자리에 동그라미를 두 개 그리는 듯하다가 개수가 점점 늘어나 후드 안에 자갈을 채워넣는 식이 되어버린 끝에 결국 얼굴을 북북 그어서 검게 칠해버리다시피 했으므로, 이 행동이 아까 글자를 쓰지 못했을 때처럼 지금 역시 그의 외모를 몇 개의 선이나 면으로조차 표현할 수 없어 답답하다는 뜻인지, 그의 얼굴이 살로 이루어진 게 아니라 후드 안에 암흑물질로만 가득차서 둥둥 뜬 무기물처럼 보인 까닭에 놀라 주저앉았다는 뜻인지를 알 수 없다. 결국 민주는 뭔지 모를 덩어리로 보이는 그림을 바탕으로 양자택일이 가능한 질문을 한다. 질문 내용은 황당하고 극단적인 망상에 가깝지만, 그 어떤 발상이라도 모든 신체 기관이 잘 돌아가던 사람이 갑자기 어깨 한 번 맞고 말을 잃는 병에 걸렸다는 얘기보다는 그럴듯하다. 그 사람 얼굴이 검은색이었니? 고개를 젓는다. 아니오. 눈 코 입은 모두 제대로 된 자리에 붙어 있었니? 조금 머뭇거리는 듯하다가 고개를 끄덕인다. 예. 이전에 만난 적 없을 뿐 우리처럼 평범한 사람 얼굴을 하고 있었어? 예. 여기까지, 일단 미지의 생명체는 아니고 사람이긴 한가보다. 아무나 골라잡아 화풀이를 한 것 같아? 애매하게 끄덕이다가 갸웃하는 걸 보면 '아마도'라는 뜻에 가까울 것이다. 그를 보고 놀랐어? 이번에는 끄덕임의 동작이 없이 고개를 기울이기만 한다. 글쎄요……인가. 놀라움과는 좀 다른 감정인 듯싶은데 그걸 나타낼 말이 도출되지 않거나 자신도 확신하기 어렵다는 듯. 그를 보고 겁에 질렸니? 역시 글쎄올시다. 놀란 것도 겁먹은 것도 아닌데 그렇다면 왜…… 이번에도 질문을 바꾸어야 한다. 그를 보고 왜인지도 무언지도 모르겠는 감정에 휩싸인 거야? '모른다'는 말에 반응하여 예. 그를 보는 순간 갑자기…… (민주는 말하면서 손가락을 한 개씩 펴 보인다) 이유는 모르고 딱히 두려움을 느낀 것도 아니지만 갑자기 피가 식었다, 손발이 저리고 숨이 막혔다, 슬펐다, 미친듯이 화가 났다. 이중에 네 느낌은? 다정은 손을 뻗어 엄마의 손 전체를 부여잡았다가 또 다시 고개를 기웃하며 놓아버린다. 인간의 감정과 논리가 사지선다형으로 표현될 만큼 간단한 것이었다면 세상에는 어떤 반목도 전쟁도 없었으리라. 이 갑작스러운 돌출을, 그 요동을 어떻게 한두 마디로 요약하고 명료하게 이유를 밝힐 수 있단 말인가? 이제부터는 객관과 논리의 영역이 아니다. 민주는 마지막으로 묻는다. 너의 지금 이 상태가…… (왼손과 오른손을 하나씩 들어 보이며) 하나, 그에게 어깨를 맞은 것과 관계있다고 생각한다. 둘, 그의 얼굴을 본 것과 관계있다고 생각한다. 어느 쪽에 가까운 느낌이야? 다정은 천천히 손을 들어 엄마의 왼손을 잡았다가 오른손으로 바꾸었다가 다시 왼손을 향해…… 왕복하기를 네댓 번 하던 끝에, 자기가 아무리 손으로 무언가를 가리켜보았자 그 무엇도 붙잡을 수 없다는 사실을 깨닫기라도 한 것처럼 스스로의 머리를 잡아 뜯으며 울음을 터뜨리고 만다.

브로카 영역이니 베르니케 영역의 역할 분담이니를 따질 계제가 아니다. 대뇌피질 뇌간 뇌량 소뇌반구 후두엽 측두엽 등 해부학적인 문제는 발견되지 않는다. 언제든 변동의 여지가 있겠으나 정신적 요인은 아직 조사중이다. 이를테면 검은 종이와 흰 종이를 앞에 두고 검정과 하양이 각각 어느 쪽이냐고 묻는 질문에 다정은 정확히 손으로 가리킨다. 검정과 하양을 소리내어 말할 수 없고 손으로 쓸 수 없지만 의미를 알고는 있다. 개 고양이 사자 판다 비둘기 꿩 잠자리 같은 수많은 동물의 이름이 적힌 카드를 오십여 장 늘어놓고 무엇이 조류인지 포유류인지 곤충류인지 물을 때도 제대로 분류하여 평균적인 인지 능력을 증명한다. 그러나 흑백, 일도양단, 물과 기름은 섞이지 않고 물의 끓는점은 섭씨 백 도라는 식의 절대 내지 객관과 멀어지면서 인지 이상의 인식, 고등한 사고 능력과 가치판단이 요구될수록 다정의 응답 행위는 실패로 돌아간다. 한두 단어 이상의 말을 동원하여 도덕이나 윤리에 관한 자신의 의사와 견해를 표명해야 하는 사안—예를 들어 최근 본 영화 장면 가운데, 궁극적으로는 유사 내지 동일한 목적을 향하나 실현 방법에 있어서 서로 대립하는 히어로와 안티 히어로의 사진을 보여주고 이중 어느 쪽에 찬성하느냐 묻는다든지—앞에서는 표현 불능도 불능이거니와 사고를 형성하는 신경계의 움직임이 둔화를 넘어 끊어진 것 같다. 설령 이 증상이 불안과 공포의 결과라 해도 그것이 후드 인간과의 연결고리까지 증명하지는 않는다.

그러니 원인 규명보다는 당면한 대증 치료가 우선일 수밖에. 민주는 복도로 나와 출장중인 남편에게 전화로 딸의 현상태를 설명한다. 남편은 가라앉은 목소리로 묻는다. 왜 그런 거래? 모른대. 왜 몰라? 나도 몰라. 병원에서 모르면 누가 알아? 민주는 부레가 끓는다. 지금 왜 이렇게 됐는지가 중요한 게 아니지 않아? 딸이 자라는 동안 남편은 늘 이런 식이었다. 왜 아픈 거래? 민주가 문제집의 정답지를 어디다 감추기라도 한 것처럼. 왜,를 알면 문제의 싹을 제거할 수 있기나 한 것처럼. 콧물과 기침, 열이 심한 딸을 안고 소아과에 다녀오면 남편은 묻곤 했다. 왜 그런 거래? 민주도 처음에는 대수롭지 않게 대답했었다. 감기래, 감기. 감기에 왜 걸렸는데? 글쎄, 모르지. 엊그제 간 식당 에어컨 바람이 좀 셌을지도, 점퍼는 꼭 챙겨 가는데. 꼭 안 그렇더라도 어린이집 다니는 아이들, 모여 있으면 다 그렇지 뭐. 감기에 이유 있나. 그런 패턴이 반복됐는데, 비록 답이 안 나오더라도 왜를 묻는 게 인간의 본능이고 그게 종족 존속의 수많은 이유 가운데 하나이기도 했겠지만, 남편의 자잘한 후속 반응들을 통해 민주는 그의 왜 그런 거래?가 단지 습관적 입말이 아니며 그렇다고 진지한 궁금증도 아닌, 완곡하게 책임 소재를 묻는 것임을—옷을 두툼하게 입히면 어때? 에어컨 앞에 앉히지 말지? 아이를 어린이집에 그렇게 오랜 시간 둘 필요가 있을까?—어렴풋이 알아차렸다. 나중에 민주는 좀더 큰 문제가 자기 몸에 생겼을 때는 참지 못하여 소리를 질렀다. 내가 의사야? 의사가 말 안 해주는데 왜 아픈지 왜 병에 걸렸는지 내가 어떻게 알아? 그러면 남편은 말했다. 그러니까 의사한테, 물어보지 그랬어. 그런 때마다 민주의 뒷골은 당겨왔다. 의사는 이게 무슨 증상이고 어떤 병인지를 알려주고 치료하는 사람이야. 가족력이 있나 직장에서 무슨 일을 하나 정도 알아보는 거지, 거기서 왜까지 어떻게 알아? 백번 양보해서 스트레스 때문이다, 그러면 스트레스를 왜 어디서 어쩌다 받았느냐고 따질 사람이네. 배울 만큼 배운 사람이 어쩌면 매번 그래? 왜는 무슨 얼어죽을, 이유가 바로 여기 있네! 다행히 민주는 초기에 문제를 발견하여 순조롭게 수술을 마치고 회복했다. 그러나 지금 딸에게 생긴 일은, 적어도 현재까지의 촬영 결과로 보아선 싹을 도려낸다든지 약으로 녹인다든지 레이저로 지질 수 있는 병소와 무관하다. 왜라니, 그걸 왜냐고 물으면 의문의 후드 인간 때문이라고 해야 하나. 그가 어깨를 친 순간 그 손에서 흘러나온 어둠의 기운이 다정의 몸속으로 방사되어 주화입마라도 일으켰나.

더 말하기 싫어진 민주가 통화 종료 버튼을 터치할 때, 마주 오던 누군가와 어깨를 부딪친다. 순간적으로 헉 소리가 날 만큼 보디블로에 가까운 수준이지만 그쪽으로 고개 돌릴 틈이 없다. 손에서 놓쳐 나동그라진 전화기가 몇 걸음 앞까지 밀려가 빙글빙글 회전한다. 아이고, 액정 다 나갔겠네, 할부 남은 건데. 급히 전화기를 주워 뒤돌아봤을 때, 조금 전 부딪쳤다고 생각되는 사람의 뒷모습은 어느새 보이지 않는다. 거동이 어려워 천천히 발을 떼어놓는 환자와 그를 부축하는 간병인, 뭉친 침대 시트를 안고 오는 간호조무사, 어느 입원실의 면회객인 듯한 중년의 여성들만 눈에 띈다. 급한 환자에게로 뛰어가던 의료진이었을까? 민주는 전화기를 들여다보던 중이라 확실치 않지만 그쪽이 흰 가운을 입었던 것 같지는 않다. 누구든 간에 지금은 수술 환자의 침대를 옮기던 중도 아니어서, 사람이 몇 명 이상 오가더라도 복도 복판은 비교적 여유로운 편이다. 이렇게 넓은 복도에서, 통화하느라 가만히 벽에 붙어선 사람에게 굳이 달려들어 어깨를 부딪치고 간다고? 어쩌다 실수로 스쳤다는 느낌이 아니라 학교 일진이 다음 희생자를 물색할 때처럼 공연히 이 사람 저 사람 어깨로 밀치며 도장을 찍듯이……

다음 희생자?

그 생각이 들자마자 민주는, 병원에서 그러시면 안 된다고 지나가던 의료진이 제지를 하든지 말든지 전력 질주한다. 이 층에 있는 거라곤 모두 입원실뿐이며, 그 사람이 향했을 복도 끝에는 층계와 면회객용 엘리베이터밖에 없다. 엘리베이터는 그사이 아무도 이용하지 않은 듯 해당 층에 머물러 있다. 민주는 층계를 달려 내려간다. 내려가는 도중 누구의 뒤통수도 보지 못한다. 일층까지 내려와 로비로 달려갔는데, 원무과의 접수와 수납 대기로 이번에는 너무 많은 사람이 있어서 그중 누구의 거동이 수상한지 알 수 없다. 한여름이고, 후드티나 후드점퍼를 입은 사람은 눈에 띄지 않는다.

일주일에 걸쳐 수도권 중심으로 비슷한 사례의 환자가 추가로 서른두 명 발생한다. 아직까지 사건성이 있다고는 판정되지 않았으나, 주말에 출근하지 않는 직장인들의 대인 접촉이 줄어듦을 고려하면 빠른 확산세다. 노년의 뇌혈관계 및 신경계 질환을 중심으로 살폈을 때 실어증이나 실서증이 드물다고는 할 수 없지만 이번처럼 연령과 성별을 가리지 않고 짧은 기간에 폭증하는 것은 자연스럽지 않으며, 촬영 결과 또한 깨끗하여 차트에 상세 불명의 급성 뇌경색으로 인한 실어증으로 기록하기가 어려운 까닭에 환자들의 보호자는 실비보험금을 지급받는 데 어려움을 겪고 있는 한편, 그들에게서 나타난 여러 신체상의 문제들 역시 일반적으로 분류되는 실어증과 다른 양상을 띤다. 서로 다른 장소에서 세 명 이상의 비슷한 환자가 발생하자 비로소 병원 간에 연락이 오가고 독립 언론들이 취재를 나온다. 뭐가 됐든 세번째부터는 우연이 아닌 것이다.

목격자들의 말에 의하면 그간 발생한 환자들의 공통점은 증상 발현 직전 모르는 사람이 세게 부딪쳐왔다는 것과—떠밀기, 꼬집기, 더듬기와 같이 여러 변형 버전이 있다—이에 분노한 환자가 사과도 없이 사라지는 사람을 쫓아가 붙잡은 다음 두통과 빈맥, 흉통과 이명 등을 호소하다 잠시 의식을 잃었다는 데 있다. 이들 가운데는 고혈압 등 각종 기저질환자도 있지만 그렇지 않은 경우가 더 많았다. 깨어난 사람들 모두, 누군가가 자신의 몸(어깨, 등, 뒤통수)을 치고 가기에 사과를 받아내고자 쫓아가 따졌다는 데까지는 자신이 기억하는 객관적인 사실을 고갯짓과 손가락으로 진술한다. 그러나 상대방이 어떤 사람이었는지를 나타내고자 하면, 첨예하게 벼리어진 말문이 인식의 투망을 뚫고 나오지 못한다. 예전이라면 말로 표현할 수 없을 리 없던 외부의 세계가, 점액질에 싸인 채 굳어간다. 직전까지 보인 명료한 인지 능력을 생각하면 이를 전실어증*으로 판단하기에는 무리가 있다. 어떻게든 예 아니오로 유도하여 얻어낸 여러 사례를 모아보니 피해자들—아무리 인과관계가 밝혀지지 않았더라도 이쯤에서 그들을 그 이름으로 일컬음이 마땅할 것이다—이 목격한 사람은 키가 백팔십 센티 이상이면서 백육십 센티 이하이고, 검은 후드 외투를 입었거나 감색 패딩 차림에 캡을 썼다. 때론 아이보리 니트에 카키색 조끼를 걸쳤고 중산모를 쓰기도 했다. 안경을 썼는지 안 썼는지, 피부색과 얼굴 생김새나 머리 모양 내지 성별에 대해서는 묘사된 바 없다.

* global aphasia. 완전 언어상실증이라고도 하며, 단어를 이해하는 능력과 말하기 기능이 모두 떨어져 읽고 쓰기 어려운 통합적 실어증.

각각의 사건 장소에서 목격된 것은 한 명이지만 실제로는 여러 명이 떼를 지어 다니는지, 각개전투중인 몇 개의 집단으로 이루어졌는지 같은 사항이 알려지지 않은 것이다. 공통적으로는 머리에 무언가를 덮거나 베일을 써서 피해자를 치고 지나가는 순간에는 그 얼굴을 볼 수 없었다 하며, 각종 모자 아래 가려진 얼굴이 정말로 인간의 것인지 여부 또한 밝혀지지 않았다. 직립보행을 하고 불특정 다수를 치고 다닌대서 그게 반드시 인간이라고 하기가, 이제 와서는 어려워 보였다. 아무려나 주요 언론사에서는 사건 보도는 하지만 음모론이나 괴담을 채택하지는 않으니, 사람들은 누가 누구며 뭐가 뭔지 알 길 없이 넘쳐나는 개인 방송 채널과 실시간으로 소문을 퍼다 나르는 소셜 네트워크에 의지한다. 여러분, 일단 지금은 숨죽여야 할 때 같아요. 누가 내 등을 치거나 팔뚝을 꼬집고 가더라도 돌아보지 말라고. 먹이 주기 금지, 우리 그런 거 잘 하잖아. 어 그래, 나는 모르겠으니까 너 가던 길 잘 가라고, 아예 신경을 쓰지 말아버려. 지금까지만 봐서는 뭐가 어떻게 된 일인지를 모르더라도, 우선 얼굴을 안 보면 안전한 것 같아요. 얼굴 보고 따지겠다고 덤빈 사람은 지금 다 그 병에 걸렸어. 자기가 본 얼굴을 설명하지 못하는 병에 말이죠. 그럼 목격을 해봤자 무슨 소용이겠어요. 유실물보관소님 오천원 후원 감사드립니다. 예…… 물론 문제는 그걸로 다가 아니죠. 진짜 실수로 부딪친 거랑 악의를 갖고 때린 거랑 구분하기가 어려우니까. 만약에 누가 지나가다 내

어깨를 확 밀쳤어. 그게 내려가는 계단이었다고 생각해봐요. 초대형 사고 나는 거죠. 장난으로 발 걸어서 넘어졌는데 죽었다? 범죄거든요. 이때 그나마 내가 무사해서 그냥 툭툭 털고 일어난 다음에 그놈을 쫓아가지 않았다고 치자. 얼굴을 안 봤다는 조건이 충족되는데, 바로 그렇게 내가 이의를 제기하고 싸우는 권리를 포기하고, 범행을 저지한다든지 범인을 잡아다 넘긴다든지 최선을 다해 내 몫을 찾지 않았기 때문에 내가 오늘도 무사히 말을 잘 하고 있는 건지, 아니면 나를 떠민 게 그야말로 지나가던 미친놈이라서 이 불가사의……라고 보는 게 맞겠죠, 이 증상들과 애초에 상관이 없던 건지, 이게 구분이 안 된다고. 사망플래그님 만원 후원 감사드립니다. 실제로 사건 취재도 나가고 관계자분들도 만나보고 하는 게, 매 순간 적지 않은 비용이 발생하거든요. 여러분의 도네이션이 큰 힘이 됩니다. 아무튼 우리는 지푸라기라도 잡아야 한다는 거. 환자분들 중에는, 누구랑 부딪치거나 누가 와서 내 뒤통수를 때리기만 했는데 이렇게 말을 못하게 됐다, 그런 사례는 아직 없는 걸로 파악됐어요. 그러면 오늘의 포인트는 역시, 먹이를 주지 말자. 이걸 도망치는 거라고, 내가 지는 거라고 생각하시면 안 돼. 나를 위한 인내심, 행운의 적립 같은 거라고 생각하자고요. 이 시간은 우리 취재팀에서 어렵게 입수한 환자분들의 실제 음성, 현재 상태가 어떤지를 들려드리는 걸로 마무리할게요. 이어서 서로 다른 예닐곱 명 피해자들의 음성 파일이 나오고, 화면의 대화창에는 민감한 개인 사정인데 피해자 가족들에게 허락을 구하셨느냐 든지 웬만하면 음성은 삭제하라는 등 진행자에게 띄우는 시청자들의 비판과 충고 댓글이 이어진다.

민주는 다정에게 들리지 않도록 이어폰을 꽂고 보던 방송에서 새로운 정보를 얻지 못할 것 같아 종료 아이콘을 클릭한다. 신체에 더이상의 문제가 없어서 정신의학과 외래 예약만 잡고 퇴원한 다정은 언어 치료 센터를 다니면서 이번 학기를 통째로 반납하게 될 것 같다. 그나마 부모가 붙어서 돌봐줄 여력이 있는 학생 신분인 게 다행이라고 할 만큼, 대부분의 피해자들은 말을 하지 못한다는 이유로 직장을 잃었다. 고객의 니즈를 기민하게 캐치하고 자신의 감각과 기술에 대한 자부심을 웬만큼 드러내면서 스몰토크 스킬도 요구되는 미용업 종사자, 거의 쉬지 않고 응대하는 게 업무인데 실제 권한은 없이 세부 제한 사항과 금기어만이 주어져서 매뉴얼 외의 어떤 상황에서든 침착하고 섬세하게 말을 골라야 하는 콜센터 직원, 제품의 맛과 할인 행사를 홍보하는 마트 냉동식품 코너의 판매원, 중학교 국어 교사 등.

다정은 언어 치료를 두 차례 받은 뒤, 발음은 불분명하며 자음과 모음의 조합에 대체로 실패하나—쓰레기통을 말해야 할 때 끄레기봉, 뜨레기종 하는 식인데 이는 단지 발음이 안 나오는 것인지 혹은 본인이 그것을 올바른 형태라고 인식해서 내는 소리인 건지는 알 수 없다—최소한의 명사와 동사로 이루어진 단문 정도는 입으로 낼 수 있게 되었다. 스스로의 해석과 판단을 통한 선택과 같이 고등 사고를 동원해야 하는 말은 여전히 할 수 없으므로—예를 들어 시시포스의 노동을 묘사한 몇 장의 그림을 보고 그 무익한 바위 굴리기에 대해 '쓸모없다'는커녕 '끌모럾다'거나 '쯜모겂다' 같은 말로도 감상을 나타내지 못한다—교양이나 시사 예능 프로그램을 보고선 흥미를 느끼기 전에 감성에 호소하고 각종 판단을 자극하는 자막들에 혼란스러워하며 티브이를 꺼버린다. 한편 그날의 일을 언급하려고 들면 발작에 가까운 반응을 보이곤 다시 입을 다무는 까닭에, 언어 치료 센터에서는 되도록 서두르지 말고 그 사건을 파헤치기를 당분간 접어두라고 한다.

방송에서 피해자들의 음성을 따온 것을 들어보면 말을 잃은 양상이 서로 조금씩 다른데, 감각 너머의 사고를 하는 일에 어려움을 느끼는 현상은 비슷하다. 그 사고를 타인과 교환하는 일 또한 불가능하다는 점도.

어 그 저 아 음 우를 중심으로 말을 막 배우기 시작한 아기의 옹알이 같은 소리(이것이 그 당시의 다정과 가장 비슷하다).

2음절 이상의 소리를 띄엄띄엄 내지만 다른 행성에서 온 방문객들의 암호 같은 것. 각각의 말이 5음절 이상을 넘어가는 경우가 별로 없으므로 발음을 분석하여 특정한 언어권의 외국어라고 판단하기는 어려운데, 어느 때는 짧고 강렬한 라틴어 경구처럼도 들리고 다른 때는 현존하는 누구도 살아본 적 없는 시대의 한어漢語

처럼도 들린다.

자기가 하고 싶은 문장 구사는 정확하게 하므로 비교적 상태가 양호해 보이나 실은 그게 모두 질문과 무관한 대답이어서 더이상의 진행이 불가능한 케이스도 있다. 점퍼 입은 사람을 따라갔지요? 하고 물으면 저는 카디건만 입는데요, 하는 식으로 현실 도피 양상을 드러낸다.

뭔가 하고 싶은 말은 있는 모양이긴 한데 막상 대답할 시간을 주고 나면, 다음번 이동을 잃어버린 내가 어제 바꾸고 내일 다시 끊어진 길로 들어와 갈 거라서 그 이름은 협탁 귀퉁이에 접어다가 붉게 지워 닫았다고 하는 식으로, 딱히 무언가의 비유나 시구를 의도하지는 않은 듯한 의미 불명의 비문을 유창하게 이어가나 아무래도 말을 잃지 않았다고 보기란 어려운 소리.

떨린다 눈꺼풀이 뛴다 가슴도 잔다 잠을 있지 않다 거기에 같은 식으로 도치된 문구를 단순한 범위 내에서만 내는 소리. 그나마 말이 되고 의사소통이 가능한 상태인 듯싶어서 이 흐름에 맞추어 그날의 일에 대한 답을 유도했으나, 역시 등을 치고 간 자의 어깨 위 얼굴에 대해 묘사해보라는 대목에서는 그전까지 해오던 대로 없다 눈코입이라든지 꼈다 안경 같은 말을 산출하지 못하고 공황 상태에 빠진다.

각 증상은 단순히 소리가 나지 않는 것인지 음소의 조합이 안 되는 건지 애매모호한 경우가 많으며, 사고가 정지했는지 말이 사고의 크레바스에 빠져버렸는지 아니면 말과 사고 모두가 관념의 갈피에 파고들어 구체를 잃었는지도 불분명하다. 그리하여 후드 안의 얼굴이란, 누구도 걷어본 적 없는—진리를 찾겠다고 걷어서 얼굴을 본 사람은 죽었는지 미쳤는지 눈이 멀었는지 어쨌는지, 어차피 중요한 것은 망했다는 사실뿐이고 뭐든 간에 전설의 패턴이란 으레 그런 법, 어쩌면 그건 전설이 아니고 프리드리히 실러의 시였을 텐데—이시스의 베일 같은 것이 되어버리며, 그 미지의 얼굴을 가진 존재들은 어느새 노커Knocker라는 이름으로 불리기 시작한다. 사람들은 뭐든 이름 붙이기를 좋아하는데 그것은 대상에 대한 두려움 때문이기도 하지만 대체로 그것에 대해 소유권을 주장하는 데에, 혹은 대상을 규정하고 때론 후려침으로써 존재에 의미를 부여하거나 반대로 존재의 무게를 덜어내는 데에 이름이 제일 용이한 수단이기 때문일 것이다.

구독자 수가 많은 스트리머들이 한두 번씩 콘텐츠로 다룬 뒤 불특정 다수의 사람들이 각종 게시판으로 퍼다 나르면서, 사태는 해결이나 수습 내지 수사 등 제대로 된 사건으로서의 요소가 지워지고 흥미 위주의 괴담으로 변질되기 시작한다. 잡히지 않은 범인(그런데 그 혹은 그들이 정말로 범인이기는 한 것인가?). 사람인지 짐승인지 식물인지 이도 저도 아닌 다만 무기질로 이루어진 무언가인지 혹은 외계로부터의 방문객인지, 몇 명의 집단으로 형성

됐는지 알 수 없는 노커(들). 무엇보다도 그 작위들에 담긴, 알려지지 않은 목적. 그들이 타인을 후려치는 순간 몸속의 기를 뒤틀어놓는 천하제일의 무공을 수련했다고 가정하고, 혹은 상대에게 얼굴을 보이는 것만으로도 성대와 혀 근육을 마비시키는 초능력의 소유자라고 치면, 굳이 그런 일을 하여 민심을 소란스럽게 할 이유가 있나. 공포로 세상을 지배 정복하려는 욕망이라기엔 지나치게 품이 많이 들고 시간도 오래 걸리는 방법이다. 조금씩 다르지만 비슷한 양태를 보이는 환자들의 수가 전국적으로 천 명 단위를 넘어서고 마구잡이로 음모론이 양산되자, 마침내 수사 당국에서는 이를 '방법과 원리와 의도가 밝혀지지 않았으나 불특정 다수를 대상으로 한' 범행으로 규정하고, 아무런 특징도 없으면서 동시에 모든 특징을 보유한 범인 찾기에 나선다. 이 과정에서 불필요한 오해를 사거나 혐의를 받지 않도록 시민 여러분께서는 첫째, 가급적 타인과의 신체 접촉 자체를 최소화해달라, 둘째, 뜻밖의 접촉이 발생했을 때 가능한 한 고의 접촉자를 추격하지 말고 신고해달라는 브리핑이 나온다. 사람들은 둘째 항목에서 실소를 터뜨린다. 신고하는 동안 놓칠 것을 뻔히 알면서 눈앞에서 보내주라는 뜻인가. 의기소침과 냉소가 사람들 사이에서 몸집을 부풀린다. 언제라도 이해받지 못하게 되리라는, 아무때고 오해의 대상이 되리라는 불안이 사람들의 의식을 잠식해나간다. 그 안에 언젠가 타인을 오해할 날이 오리라는, 타인을 영원히 이해하지 못할 거라는 이타적인 불안은 끼어들 틈이 없다.

예방 차원에서 사람들은 둘째 항목을 대체로, 절반만 지킨다. 수사 당국에서 당부해서가 아니라 그전에 다수의 스트리머들이 얘기한 대로 나의 안전을 위해 '먹이 주기 금지'를 실천한다. 누가 나의 뒤통수를 후려갈기면 반사적으로 어떤 놈이야, 고개를 돌려 따지게 되는 그 본능을 최소한으로 눌러 죽인다. 고의 접촉사고를 낸 이를 돌아보지 않으며 기꺼이 놓친다. 뒤통수를 맞아 뇌진탕에 걸린다든지 생명에 지장이 없는 한 괜찮다고, 우리에게 유해한 자들과의 신경전을 벌이지 말고 최대한 양보하며 무시하라고 스스로의 마음을 다스린다. 마음 다스림을 위한 명상 프로그램이 각 지자체마다 준비된다. 한쪽에서 이렇게 안전한 삶을 위해 노력하는 동안 다른 쪽에서는 도심 시위를 벌인다. 블록마다 한 대씩 CCTV가 설치된 나라에서 그 정도 범인을 못 잡는 게 말이 되느냐, 잡을 생각이 있기나 한가, 대부분의 피해자가 평범한 사람이어서 관심을 갖지 않는 거겠지, 살면서 다수의 비서와 경호원에게 둘러싸여 웬만해선 등뒤에서 공격당할 일이 없는 부유하고 힘있는 자들의 눈에는 지금 상황이 딴 세상의 일처럼 보이나, 어째서 돈 없고 백 없고 잘못도 없는 시민들이 스스로의 처신을 조심해야 하고 피해자들은 자신의 마땅한 결정을 후회해야 하는가. 경찰은 조속히 범인을 잡아 범행 수법을 밝혀내고 응징하라. 범행의 의도 같은 건 궁금하지도 않고 밝힐 필요도 없다. 어차피 가정폭력으로 점철된 불우한 유년기라든지 가난이나 질병 등의 개인사를 전시해주고 사회복지 체제의 그늘에 가려져 충분히 보호받지 못했다며 동정심을 실컷 유발한 다음 헤드라인은 '묻지 마 폭행' 정도로 내보낼 테니까.

부당함을 느끼면서도 자신의 보존을 위해 둘째 항목을 지키는 사람들이 한편에 있으면, 당연히 첫째 항목을 무시하고 활개치는 사람들도 있는 법이다. 숨죽이며 당하느니 차라리 선빵을 날리겠다는 이판사판에 자포자기인 경우도 있는데 그보다는 보란듯이, 혹은 기다렸다는 듯이 여기저기서 아무나 치고 도망가는 가짜 노커들이 생긴다. 어느 모로 보아도 노커와는 부류가 다른 듯싶지만 희박한 확률이라도 간과할 수 없는 피해자들이 말을 잃어버릴까봐 먹이를 주지 않는 동안, 주위의 다른 사람들도 후드 속 얼굴과 눈이 마주칠세라 개입하지 않고 딴전을 부리는 동안, 가짜 노커는 유유히 빠져나간다. 누구도 그 폭행을 저지하지 못하는 기쁨에 취한 자들은 점점 대담해져서, 처음에는 널리 알려진 행동패턴대로 뒤통수와 어깨와 등을 갈겼을 뿐이지만, 다음에는 옆구리를 손가락으로 푹 찌르거나 무릎으로 십자인대 부근을 쳐서 피해자들을 주저앉히고, 뒤에서 손을 뻗어 가슴이나 엉덩이를 쥐어흔들고 도망치는가 하면, 목덜미에 손날 치기를 하여 쓰러뜨리거나, 심지어는 뒤에서 오물을 뿌리고 달아나기에 이른다. 이는 모든 경우마다 성공하는 것은 아니어서, 뛰어난 반사신경을 버리지 못한 운동클럽 회원이 뒤에서 양쪽 옆구리를 찌른 가짜 노커를 자기도 모르게 팔꿈치로 가격하여 검거에 도움을 준 일도 있었는데, 이때 경찰이 올 때까지 피해자는 무릎으로 범인의 등을 찍어 누른 채 혹시 진짜 노커일지도 모르는 그의 얼굴을 보지 않기 위해 손아귀 힘으로 머리를 바닥에 처박아 고정한 상태였고, 이후 범인의 부모가 고작 옆구리를 찌른 정도의 애들 장난에 과잉 방어로 코뼈에 금이 가서 전치 팔 주가 나왔다며 오히려 고소하는 바람에 법정 공방을 벌이는 중이다. 사람들은 불안에 떨기 시작한다. 뒤에서 공격해오는 자들 가운데 누가 사람 신경을 거스르는 잡범이고 누가 미지의 힘을 가진 외계생물인지 어떻게 판단한다는 말인가? 한편으론 사람이 흠칫거리며 위축되기를 생활화하다가 사람으로서 보일 수 있는 당연한 반응마저 죽이고 지내는 동안, 공격의 양상과 그 도구가 언젠가는 오물이나 음료수 투척이 아닌 담뱃불이나 총포류 내지 손도끼에 전기톱으로 바뀌지 않으리라는 보장이 있는가?

성분도 규모도 알 수 없는 노커들이 염병처럼 그 수를 늘려가며 창궐하는 동안, 오랜 방어와 긴장에 피로를 호소하다 더이상은 참을 수 없게 되어버린 사람들 또한 생겨나기 마련이기에, 폭행 시비를 가리려다가 말을 잃는 증상을 보이게 된 피해자들의 수는 점점 늘어나고 만다. 수많은 사람들이 의사소통이 되지 않아서 일자리를 잃고 사업체들도 인력난에 시달린다. 산업의 유지 근간이 흔들리는 건 시간문제라는 우려가 곳곳에서 나온다. 그런데 말이 언제 소통의 도구이긴 했던가? 우리는 평생 서로를 이해할 수 없으며 말은 이해보다는 오히려 오해의 도구가 아니었나? 아무에게 돌을 던지거나 아무의 목을 매달아 까마귀밥으로 걸어놓는 무기의 일종이며, 특히 현란한 말이야말로, 사람들을 통제하고 입속의 혀처럼 부리다 그 가치와 흥미를 상실했다고 판단하는 즉시 도륙내기를 일삼던 독재자들의 필수 재능 아닌가? 이제 와서 소박하게 소통이라는 허울 좋은 명분…… 같은 자막을 내보내며 구독자에게 흥분한 모습을 보인 유튜버는 그 이후 신규 콘텐츠를 올리지 않았고, 동영상에 댓글을 남긴 여러 명의 목격자들에 따르면 그 역시 문 닫기 직전의 감성포차에서 술값 결제 도중 노커에게 당했다고 한다. 그는 술에 약간 취해 있었고, 자신에게 시비를 걸어오는 자를 참지 않았다. 단지 그뿐이었다.

노커의 수는 급전직하로 불어난다. 노커에게 당한 피해자들 또한 노커가 되어 배회하면서 타인을 치고 다니는 것 같다는 목격자들의 진술이 설득력을 얻는다. 그러면 이때 새로운 노커는 진짜 노커인가, 시늉만 하는 가짜 노커인가? 전염된 새로운 노커의 얼굴을 본 피해자는 말을 잃는가? 그것을 확인하여 발설한 사람은 아직 없는데, 이는 그 얼굴을 보고 무사한(말을 간직한) 사람이 없다는 뜻과 같을 것이다. 말을 할 수 있는 사람도 할 수 없는 척하면서 타인을 치고 다니며, 이 과정에서 뜻이 맞는 이들은 무리를 이루어 다닌다. 진짜 노커와 가짜 노커의 구별이 무의미해진다. 어차피 모두가 노커가 되어버리거나 될 잠재력을 갖고 있는 거라면, 인내심과 포용력 따위 더는 유효하지 않다는 인식이 사람들 사이로 퍼져나간다. 그와 함께 서로를 지칭할 수 있고 서로를 잇는 명사, 대명사, 돈독한 관계나 적절한 거리와 위치를 규정할 수 있는 조사, 행동을 그나마 규정하고 제어할 수 있던 형용사와 동사 들의 체계가 무너진다.

너는 집으로 가서 문을 잠그고 집안에 있거라. 너 사람아, 사람들이 너를 밧줄로 묶어놓아서, 네가 사람들에게로 나가지 못할 것이다. 더욱이 내가 네 혀를 입천장에 붙여 너를 말 못하는 사람으로 만들어서, 그들을 꾸짖지도 못하게 하겠다.* 이런 성경 구절을 들어서 시국 강론을 해야 할 목회자들이 말을 잃는다. 말이 나오지 않고선 거의 아무것도 진행할 수 없는 학교가 그 기능을 잃는다. 연극과 영화, 노래, 한 줄의 시 같은 예술은 애초에 생존과 무관한 사치이며 파괴된 지 오래다. 스크립트를 구성하고 대본을 쓸 수 있는 사람들이 말을 잃자 몇 개의 방송사가 뉴스를 축소하고 드라마와 예능 프로그램을 재방송으로만 송출한다. (얼마 안가 그런 반복 송출도 중단될 것이다.) 급박한 장면마다 수많은 사

* 「에스겔서」 3장 24절에서 26절.

인이 오가야 하는 프로 리그의 경기가 무기한 연기된 채로 시즌이 끝난다. 범인을 잡아야 하지만 경찰들도 서로 말이 통하지 않으니 수사를 계속할 수 없다. 법률의 언어로 시비를 다투어야 하는 법정이 폐쇄되며 재소자들은 누구의 변호도 받지 못하고 철창 안에서 서로를 물어뜯다가 과다 출혈로 실려 나온다. 컴퓨터의 언어를 구사하고 배열할 수 있는 사람들이 줄어든다. 인터넷이 끊긴다. 이용자들의 퍼다 나르기 정도만 이루어진 주요 SNS 사이트가 중단된다. 환자의 상태를 판단 분석하고 치료 및 처치할 의술의 언어를 구사할 수 있는 의료인의 수가 줄어 많은 병원이 문을 닫으면서 위중한 환자들이 일부 3차 병원으로 끊임없이 몰려들지만, 전원轉院하는 데에도 그에 맞는 서류와 절차가 있고 그것을 집행하기 위한 언어가 필요하다. 말을 잃은 자들은 복잡한 보험 약관을 해석할 수 없게 되고, 보험을 포함한 금융 체계가 마비된다. 베드를 얻지 못한 환자들과 보호자들이 아우성을 치다가 죽어간다. 병원 안에 갇힌 아직 멀쩡한 의료인들은 병원을 둘러싼 사람들을 보면서 공포를 느낀다. 사람들을 해산시키기 위해 출동한 군경은 부딪쳐가면서 무기를 휘두르는 동안 서로의 얼굴을 보고 쓰러진다. 다시 깨어난 그들은 말이 통하지 않으니 일단 눈앞에 있는 누군가를 찌르거나 총을 갈기고 본다. 그 아수라장에서 드물게 살아남은 사람에게, 각자의 얼굴에서 대체 무엇을 보았는지, 얼굴이 있어야 할 자리에 뭐가 있었는지를 물어본들 대답

할 수 있는 사람은 없다. 이익을 셈하는 거래의 언어는 매우 고등한 사고 체계를 필요로 하므로, 의료품 부족은 말할 것도 없으며 마트와 편의점에는 새 물건이 채워지지 않고 폐허가 된다. 사회의 총체적인 기능이 마비되고 기초적 원시적인 생존 본위의 동작만이 가능해진다. 도구를 던져 살아 있는 동물을 잡거나 나무에 열린 뭔지 모를 열매를 따는 일 같은 것. 익히지 않은 날것의 말들이 아귀처럼 입을 벌리고 서로의 언어를 삼키는데 그렇다고 완전한 침묵과 고요가 찾아오는 것도 아니어서, 사람들은 과열되어 구워진 말, 삶아지고 튀겨진 말들이 인간의 인식을 형성하고 행동을 지배하던 시절을 어느덧 그리워하게 될 것이다. 행간을 외면하며 낱낱의 의미를 저마다의 손바닥에 올려놓고 함부로 굴리기를 일삼는 한편 그것이 불러오는 파탄들을 유희나 되는 것처럼 즐거워하던 날들을.

처음에는 피해자들 각각의 몸이 바벨탑이었을지 모르나 어느새 세상이 하나의 거대한 바벨탑이 된다. 말이라는 군도에 붙어 기식하던 땅덩이들이 갈라지더니 흙덩이와 돌덩이로 세분되고 세절되어 풍랑에 흩어진다. 명쾌한 의미 전달을 빌미삼아 말로 선을 넘던 자들은 이제 선이 없는 존재들이 된다. 세상은 말을 잃은 자들과 아직 말을 잃지 않은 자들 두 부류로 나뉘는데 아직 말을 잃지 않았다고 해서 그들이 제대로 된 말을 구사하고 있으리라는 보장은 없을 만큼 말의 체계 자체가 무의미해진다. 그러니 말을 잃었든 아직 잃지 않았든 간에 소통이라는 이름의 건널 수 없는 강물을 사이에 두고, 사람들은 손에 잡히는 대로 뭐든 쥐고 자신을 지킨다. 매사 신경을 바싹 곤두세운 채로, 누군가가 다가와 자신의 몸을 노크할 것 같으면 손에 쥔 파이프나 부러진 식칼 따위를 닥치는 대로 휘두르는 것이다. 그러는 동안 스스로를 지키기 위해 무기를 든 건지 남을 해치기 위해 든 건지, 어느 쪽이 먼저 공격했는지 선후 관계가 모호해지지만 아무려나 무의미해지기도 한다. 그 또한 서로의 판단과 입장이 다르며 최악의 상황에서도 자기 본위만큼은 잊지 않기 때문인데, 그 다름 혹은 틀림에 대해 논리적으로든 감성적으로든 주장하고 표명할 수 있는 사람의 수가 점점 줄어든다. 사랑이나 미움의 감정이 없지는 않은 것 같은데 이들 또한 단순한 선택의 문제가 아닌 판단과 분석이 개입하여 나오는 결론인 경우가 많으므로, 그 감정을 확신하지 못하고 적절한 속도와 높낮이를 지닌 음성, 침묵과 호흡을 동반한 말로 표현하지 못하는 동안, 존재의 기반이 흔들린다. 자신의 말을 하지 못한다. 자신의 사고를 하지 못한다. 자신의 삶을 살지 못한다. 여기에 이르고 나서야 사람들은 삶이, 삶이라고 부를 수 있는 것에 앞서 인간의 몸이, 무엇으로 이루어졌으며 무엇을 통해 열리는 것이었는지를 알게 된다.

희미한 인기척만으로도 민주는 다정이 어둠 속에서 후드 외투를 입고 있다는 것을 알아차린다. 다정아, 하고 부른다. 딸은 대답하지 않는다. 다정아, 나가지 마. 민주의 목소리에는 간절함이 담겨 있지만 다정의 움직임을 막을 힘은 없다. 이름 부르는 정도를 알아듣지 못하는 건 아니다. 다정은 언어 치료 센터가 문을 닫기 전까지 열심히 다녔다.

민주는 사재기한 초와 라이터를 이용하여 집안에 불을 밝힌다. 편의점을 털어 집에 쌓아둔 통조림은 어느새 바닥을 드러내고 있다. 쌓아둔 생수는 조금씩 목을 축일 때만 사용한다. 몸을 씻는 것은 사치다. 바깥은 어떻게 돌아가고 있는지 알 수 없다. 해결책도 없이 전화로 왜냐고 묻기만 하던 남편은 연락이 끊긴 지 좀 됐다. 빈 파출소에는 실종 신고를 받아줄 경찰이 없다. 단지 말이 통하지 않을 뿐인데, 생화학무기나 핵이나 좀비가 없이도 세상은 영화에서나 보던 종말 상황과 비슷하다.

다정아, 바깥에 나가도 네가 어깨를 칠 만한 사람들은 더이상 존재하지 않을지 몰라. 이 세계의 순환을 지지하던 신경계는 고장 난 지 오래란다. 그럴 바에는 차라리 이리 와서 엄마를 쳐. 답답하다고, 말하고 싶다고, 생각이라는 걸 하고 싶다고, 드러내고 싶다고, 그런데 이제는 드러내도 그것을 수용할 귀나 반박할 입을 가진 사람이 없다고, 그 마음 모두를 담아서 엄마를 쳐. 이제 엄마가 술래가 될 차례야. 그리고 이 세상은 또 한 명의 술래를 갖게 되겠지. 깍두기는 없이 술래만으로 가득찬 세상이 되라지. 그렇게 멈춰버리라지. 말하고 생각할 수 있다 한들 그걸 들어줄 귀가 남아 있지 않으니, 엄마도 너의 언어를 새롭게 익힐래. 너의 말도 안 되는 말들을 데우고 끓여서 그것을 새로운 양분으로 삼을게. 엄마의 근육에, 뼈에 너의 말 같지 않은 말들을 새겨나갈게. 그러자면 우선 노크에 응답하여 후드를 벗기고 네 얼굴을 들여다보아야겠지. 엄마는 너의 얼굴이 어떻게 변했든 간에 그 얼굴을 두 눈 뜨고 똑바로 바라볼 거야. 어쩌면 생각만큼 변하지 않았을지도 모르고, 거기 있는 건 그냥 너 자체일 거야. 상대의 얼굴을 들여다보는 행위에는 어쩌면 아무런 의미가 없을지 모르고, 처음부터 모든 것이 여러 버전의 뜬소문과 억측들이 조합되어 만들어진 잘못된 정보일지 몰라. 엄마는 아직도 네가 그날 어떤 얼굴을 보았는지 알지 못하는걸. 그러니 네가 엄마를 치고 엄마가 너의 얼굴을 들여다보면 비로소 알게 되겠지. 거기 있는 건 두렵거나 끔찍한 저세상의 괴물이 아니라, 다만 내 귀한 딸의 얼굴이라는 것을. 엄마가 말을 잃고 나면 그 진실을 누구에게도 전해줄 수 없게 되겠지. 말할 수 없게 되는 것은 하나도 아쉽지 않지만, 그래도 너에 대한 애틋하고 복잡한 마음까지 없어지지는 않겠지? 너라는 존재를 잊는 건 아니겠지? 너의 아름다움과 선함과 진실함을, 그리고 무엇보다도 다정함을 다 알면서도 말로 맺을 수 없을 뿐이겠지? 이 모든 짐작이 사실일지 여부를, 다정이 손을 뻗어 치기 전까지 민주는 알 수 없으므로 나지막한 목소리로 재차 딸을 부른다.

그리고 세상 어딘가에 무한의 권능을 지닌 깍두기가 있어서, 언젠가는 너의 얼어버린 혀를 풀어줄 해토머리의 마법을 가져다주기를.

다정이 등뒤에서 다가온다.

# 있을 법한 모든 것

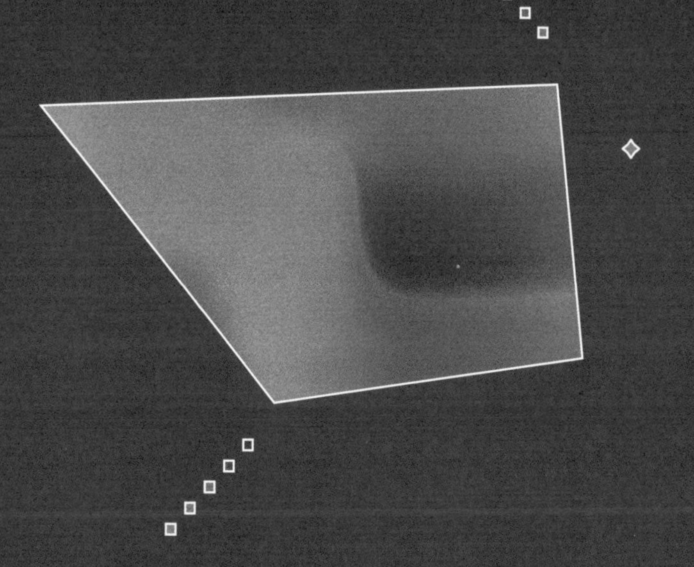

'파팍한 현실을 살아가는 현대인에게 위안을 주는 밝고 가벼운 로맨스 콘텐츠'를 주문하는 플랫폼측의 제안서가 들어왔을 때, C는 기획안에 드러난 구태의연한 목표도 그렇거니와 자신이 로맨스의 리을도 모르는 사람임을 알아서 사양할까 하다가, 고료가 타사 대비 이십오 퍼센트 이상 높다는 사실을 확인하고 나뭇잎에 앉은 곤충을 포착한 개구리처럼 덥석 응해버렸는데—명시되지 않았으나 이 수준의 조건은 본 기획이 엔터테인먼트 제작사와의 사전 논의 아래 노골적으로 IP 비즈니스를 목표로 삼고 있음을 의미할 터다—세 시간쯤 지나서는 이 테마 단편소설 앤솔러지 집필 제안을 받아들인 것을 후회하며, 꼭 일주일만 고민하는 성의를 보인 다음 진행에 누가 되지 않도록 하차 의사를 밝히리라 생각하고 잠들었다. 아마도 그 때문일 것이다. 꿈속에서 영화를 보게 된 것은.

극장이 아니라 텔레비전을 통해서였고, 부엌과 거실을 오가며 대강 눈으로 훑는 정도로 진지하게 관람 행위를 하지는 않았음에도 영화의 내용을 제 손금 보듯 알 수 있었는데 그게 꿈이라서인지 아니면 영화의 플롯이 단순하고 조야해서인지는 모를 일이다. 사업 출장으로 호텔에 장기 투숙을 하게 된 갈색 곱슬머리의 백인 남자. 선 고운 미남도 남성성을 자랑하는 마초도 아닌 건실한 타입으로 상견례 자리 같은 데서 주로 어르신들이 호감 갖게 생긴 그 남자가 현실에 존재하는 배우인지는 알 수 없는데, 영화를 즐겨 보지 않으며 간혹 본다면 높은 확률로 총칼과 폭탄과 자동차가 등장하는 액션물을 고르는 C가 얼굴과 매치하여 기억하는 배우 이름이라곤 리암 니슨과 맷 데이먼 정도라서다. 나이는 삼십대 중반, 기혼자인지 이혼남인지 어떤 사업에 종사하는지 등의 개인정보는 주어지지 않은 것 같다. 그는 어느 날 출근 전 별 뜻 없이, 어두운 민무늬 넥타이 같은 일상에 핀을 꽂아 포인트를 주는 정도의 가벼운 마음으로, 화장대 위에 메모를 남겨둔다. '항상 청결하게 해주셔서 고맙습니다.' 그런 다음 문고리에 메이크업 룸 요청 표시를 걸어놓고 나간다. 퇴근 후 돌아와보니 완벽하게 정돈된 방의 화장대에 메모지 한 장이 남아 있다. '천만에요, 제 일입니다. 그러나 고맙습니다.' 이때부터는 열 명 가운데 아홉 명 이상이 예상할 수 있는 패턴으로 흘러간다. 단 한 번도 서로의 얼굴을 보지 못한 채 주고받는 메모지가 늘어난다. 취미는 음악 감상이에요. 그거라면 이 연주자와 지휘자를 추천할게요. 오늘은 거래처에서 마음 상하는 일이 있었어요. 잘 안 풀릴 것 같아요. 비타민을 먹고 쉬어보세요. 당신은 할 수 있어요. 나는 닦아내야만 하는 얼룩처럼 언젠가 이 바닥에서 지워지지 않을까요. 나도 가끔 내가 한 점의 먼지로 느껴질 때가 있지만 당신이 우연히 건넨 한마디 덕분에…… 그러다가 마침내 남자 쪽에서 출근하면서 이런 메모를 남기고—당신을 만나보고 싶어요—, 퇴근 후 긍정의 답 메모가 놓인 것을 보자마자, 남자는 방문을 열고 뛰쳐나간다…… 얼마나 골몰했는지 C는 꿈속에서도 이거 써야 해, 일어나서 꼭 쓰고 만다, 초조히 다짐하다가, 결말이 어찌됐는지 못 보고 그 장면에서 깨어난 것이다.

막상 잠에서 깨 책상 앞에 앉은 순간부터 C는 이 이야기가 정말로 있을 법하다는 강박에 사로잡힌다. 현실에서 이런 일이 흔히 생긴다는 개연성 말고, 이런 스토리의 영화가 이미 한 트럭은 나왔을 것 같다는 의미에서의 있을 법함이다. 어쩌면 과거에 본 영화의 일부가 꿈에서 다시 떠올랐을 뿐 아닐까? 이런 장르를 자발적으로 관람했을 것 같지는 않고, 한 주간의 개봉작이나 흘러간 옛 비디오를 결말 빼고 거의 전체 누설하여 작품 한 편을 다 소비한 듯싶은 효능감을 제공하는 일요일의 영화 소개 요약 방송을 통해서 말이다. 그러면 남자가 방문을 열고 뛰쳐나가는 장면에서 꿈이 중단된 이유 또한 설명된다. 누구나 예상 가능하다는 사실과는 별개로 C는 그 결말을 본 적 없는 것이다. 방송에서라면 필시 "자, 그는 과연 그녀를 만날 수 있을까요? 진실한 사랑과 행복을 손에 넣을 수 있을까요? 지금까지, 〈……〉였습니다"라는 뻔한 마무리 멘트와 함께 그 장면에서 끝났을 테니까.

기시감 정도를 넘어 아무리 사골을 우려낸 클리셰에 불과하다 한들 백 퍼센트 동일하다면 쓸 수 없으므로, C는 '하우스키퍼 영화'를 검색한다. 그랬더니 호텔이 아니라 실제로 집안의 일상에서 고된 가사노동을 하는 여성들을 인터뷰하는 튀르키예의 다큐멘터리 영화가 나온다. 다음으로 '메이드 영화'를 검색하자 제목이 〈메이드〉인 호러와 코미디 그리고 여러 블로거가 추천하는 '웰메이드' 영화까지 많은 결과가 나왔지만 C가 찾는 것은 없다. '호텔 장기 투숙 영화'도 찾아보고 이런저런 검색어를 동원하나, 콘텐츠의 모래벌판 가운데 제목도 배우도 모르고 플롯만 선명한 영화를 찾기란 요령부득이다. 가장 유사한 소재를 담은 검색 결과로는 젊은 사장인지 이사인지가 머무는 호텔 방을 청소하던 키퍼가 그와 사랑에 빠진다는 토막 에피소드가 삽입된 최신 한국 영화 〈해피 뉴이어〉가 있지만, 그 한 편을 보겠다고 해당 작품을 독점 공급 송출하는 유료 OTT 스트리밍 플랫폼을 신규 구독하기에는 최소 1단계 이상의 절차가 있으리라는 예상으로—필수 동의, 선택 동의, 메일 주소 입력, 비밀번호 생성—마음이 번다해져서, 유튜브에 올라온 짧은 홍보용 동영상 클립들만 확인해보고도 결정적인 차이를 발견하게 된다. 그들은 우선 얼굴부터 마주치고 서로가 누군지 아는 상태로 여러 장면에서 인연을 맺는데, C가 꿈에서 본 영화는 처음부터 끝까지 철저히 비대면이다. 즉 어쩌면 마지막에 등장할지도 모르는 여성 배우는 영화가 진행되는 동안은 내내 나타나지 않았다. 있지만 없는 존재. 섀도워크를 수행하는 이들의 대부분이 그리 간주되듯이.

지인 두 다리쯤 건너면 한 달에 최소 사십 편의 영화를 보며 일하는 평론가한테 닿을지도 모르나 그렇게까지는 좀 면구스럽고 자신이 얻어낼 것을 위해 적극적으로 사교성을 발휘하는 성격도 못 되어, C는 세 명의 친구들에게 연락해 줄거리를 들려준다. 정확하게 이런 내용의 영화를 본 적 있니? 친구들의 반응은 한결같다. 본 적은 없는데 어디선가 정말 본 것만 같고 꼭 있을 것만 같다는 대답이다. 역시 그 안의 사건과 관계들이 다분히 사실주의라는 의미에서가 아니라, 이미 대중이 소비할 대로 하고 시들해져 더는 찾지 않을 듯한 영화가, 언젠가 이미 세상에 나왔을 법하다고 말이다.

—안 봐도 본 것 같은 이 느낌은 아마 〈러브 액추얼리〉 때문일 텐데 아무리 그래도 그건 너도 봤겠지.

—옛날에 보긴 했는데 거기 호텔 하우스키퍼가 나와?

—호텔은 아니지만 가사도우미가 나오지. 이혼한 작가랑 엮

이는.

—그렇게 여러 커플이 떼 지어 등장하는 영화가 아니고, 일단 영화 내내 둘이 얼굴을 못 본다니까.

—얼굴 없는 상대와 대화하는 스토리로는 스칼렛 요한슨이 나오는 〈그녀〉가 있어.

—그건 안 봤지만 들어는 봤어. 인공지능과의 대화는 따로 저장을 하지 않으면 사라지겠지. 이쪽은 인공지능이 아니고 사람인데 메모만 남겨둔다고. 종이쪽지가 물리적으로 남아 있다니까.

친구와 전화하는 동안 어느새 C의 마음속에서는 그것이 구체적이고 실제적인 형태를 띤 상업영화가 된다.

—그렇다면 결론은 이거네. 키다리 아저씨랑 여러 로맨스 영화의 조각들이 이것저것 뒤섞여서 네 꿈에 나왔네.

또다른 친구는 이렇게도 말한다.

—현실적으로 생각해봐. 카메오나 그런 게 아니고야 할리우드의 배우가, 마지막 상봉과 포옹 신에만 얼굴을 내미는 영화에 출연하고 싶겠는지. 편하게 생각하지 그래? 그런 줄거리의 영화는 마치 있을 법하지만 실은 너무 심하게 있을 법해서 아직 없는 거라고 말이야. 막말로 이미 있으면 또 뭐 어때서. 어차피 여기서 봤다 싶은 거 저기서 또 보고, 보면 보는 대로 소 닭 보듯 하고, 들으면 듣는 대로 어디서 개가 짖나 하고 버티면 그만인 세상에.

그런 세상임을 C는 부정하지 않으나, 그런 세상이라는 현실을 인지하는 것과 그 현실을 긍정하는 것은 조금 다른 차원의 문제다. 있는 것과 없는 것은 같지 않다. 불교적 인식을 배제하면 있음과 없음은 뭘 어떻게 접붙여도 결국 하나일 수 없다. 친구가 말하는 현실적으로 생각해봤을 때의 현실이란, 주인공이 〈철가면〉 내지 〈오페라의 유령〉 정도 되는 특별한 서사적 이유가 아니고서야 한 편의 영화에서 배우가 가능한 한 얼굴을 빈번히 노출하고 싶음이 인지상정이며, 그걸 위해 각본가는 어떻게든 두 사람을 좀 일찍 마주치게 하거나, 복도와 엘리베이터에서 종종 스쳐지나가지만 서로가 메시지를 주고받는 상대임을 알아차리지 못한다는 설정을 추가하리라는 걸 말한다. 내 출연 분량이 너보다 적네, 우리 소속 배우 이름을 포스터에 먼저 넣네 마네 같은 걸로 기 싸움을 하는 영화판에서는 흔한 조율 과정이다.

그러나 영화적 낭만과 꿈을 엄격히 배제한 일상의 시궁창만을 가리켜 현실이라고 한다면, 애초에 메모를 주고받는 행위 자체가 이루어질 수 없다. 손님은 즉흥적인 기분으로 몇 자 끼적일 수 있다 치고, 키퍼는 업무 지침상 답장을 해선 안 될 터다. 객실 바닥에 흔적을 남기지 않음과 마찬가지로 자기 자신을 지우도록 요구받는 이들. 누구나 그들이 보이지만 안 보이는 척하며, 그들은 거울에 튄 한 점의 물때나 타일에 떨어진 한 올의 머리카락과 다르지 않은 범주로 취급된다. 심지어 청소 카트를 밀고 있지 않을 때에도 화물용 엘리베이터만을 이용해야 한다는 규정도 있다. 고객과 밀착 접촉하지 않더라도 그의 몸 어딘가에 남아 있을 세균이 고객에게 전염될 가능성을 배제할 수 없다는 뜻을, 그런 규정으로 드러낸다. 그런데 영혼을 걸고 완벽하게 오염을 제거하는 행위의 반복도 모자라 그 스스로의 기척까지 감추어야 하는 이가, 객실 화장대에 자필 메모 같은 큰 흔적을 남겨둔다? 만에 하나 악의적인 장난을 치는 게 목적이었던 투숙객이, 메이크업 룸을 부탁했는데 종이 쓰레기가 있더라고 컨시어지 쪽에 컴플레인이라도 넣으면 우선 키퍼의 책임이 되기에, 아무리 호의적인 메모라도 무응답으로 일관하는 쪽이 안전할 것이다. 얼굴 모르는 키퍼와 감정이 싹터 연인이 되는 일이 현실에서 가능한가 아닌가를 따지기 전에, 규모 있는 호텔에는 키퍼가 여러 명 근무할 테며, 설령 담당 구역이 정해졌더라도 근무 시프트 문제로 유사시 로테이션이 될 수 있다. 로맨스 영화는 그같이 사소하나 엄존하는 일상의 변수들을 말끔히 제거하여, 이 주인공의 방은 항상 그 키퍼가 청소한다고 관객 인식의 코르크에 압정으로 박아둔 약속으로써 시작하는 것이다.

C는 우선 머리를 식히기 위해 방문을 나선다.

구멍 밖으로 끄트머리만 살짝 나온 검지와 중지 밑에는 토큰과 함께 거스름 동전 몇 개가 깔려 있다. 구멍 바깥에 선 사람은 손바닥 하나로 다 가려질 것만 같은 매대 위를 쓸어다가 토큰과 동전을 가져간다. 이어서 배낭 멘 학생이 분홍색 회수권 구입표 열 장과 지폐를 구멍 안으로 들이민다. 안쪽에서 종이가 부스럭거리는 소리가 나더니 곧 몇 개의 동전과 '중고생'이라고 적힌 버스표 다발이 나온다. 손가락 끄트머리만 구멍 밖으로 잠깐 나타났다 사라진다. 경제적이며 단조로운 동작의 반복. 침묵 내지 최소한의 육성. 그 자리에 얼굴이나 음성이 아닌 손, 그중에서도 일부인 손가락 몇 개로만 존재하는 사람.

다음으로 구멍 앞에 선 남자는 지폐의 절반가량을 안으로 들이밀면서 허리를 숙이고, 술냄새가 진동하는 목소리로 말한다. 팔팔. 남자는 나왔다 들어가기를 반복하는 손가락 말고도 손가락에서 연장되어 뻗어나가는 몸과, 그 몸통 위에 붙은 머리, 그중에서도 얼굴을 은근히 들여다보려는 것이다. 남자에게 별다른 의도는 없었을 수도 있고, 일상의 자잘한 무례들은 보통 별다른 의도 없이 생겨난다. 반원형으로 구멍이 뚫린 아크릴판과 그 내부는 어떤 감광도 허용하지 않는 어둠상자 같아서 좀체 들여다보이지 않는데도, 안에 있는 사람은 알코올에 전 남자의 시선을 느꼈는지 최대한 벽에 붙어 몸을 감춘다. 그렇다, 당연하게도 그 안에 사람이 있다. 폐교한 지 오래된 국민학교 교실에 떠도는 괴담처럼 손가락만 남아서 돌아다니는 게 아니라, 그 손가락의 주인이 있다. 구멍 밖의 사람들은 신문에, 토큰에, 담배나 껌 상자에 한순간 붙어 나오는 중지와 검지를 볼 뿐이지만 손가락 열 개를 가진, 그 이전에 심장이 뛰고 주관도 있는, 그들과 똑같은 사람이 상자 안에 있다. 그 증거로 손가락만이 아니라 처음으로 안쪽에서 목소리가 새어나온다. 팔팔 없어요.

그러자 남자는 허리를 더 깊이 숙이고, 그보다는 매대에 아예 뺨 한쪽을 얹어놓다시피 하며 목소리의 출처를 캔다. 어? 뭐? 아무리 작게 웅얼거리는 소리였다지만 그걸 못 들었을 리 없다. 설령 정말로 무슨 소린지 못 알아들었다고 하더라도, 구멍 밖으로 물건 대신 음성만 나왔다면, 이는 곧 찾는 물건이 없다는 뜻임을 알아야 하는 것이다. 사람은 추론의 동물이니까. 그러나 앞에 있는 존재를 일종의 자판기라고 여기는 사람은, 굳이 추론 같은 번거로운 사고 노동을 감수하지 않는다. 기계의 마음을 헤아리려는 사람은 없다. 말 안 듣는 흑백의 퍼스널 컴퓨터, 전파를 제대로 못 잡고 헤매는 브라운관 티브이는 일단 옆구리를 한 대 갈기고 본다. 그러면 화면에 순간적인 노이즈라도 송출한다. 동전을 삼키고 물건이나 잔액을 뱉어내지 않는 자판기는 발로 찬다. 뭐라도 토해내라. 남자는 이제 구멍 안으로 빨려들어갈 것처럼 주둥이를 밀착하고서 윽박지른다. 뭐가 어째? 조금 전보다 더 선명한 목소리가 구멍에서 흘러나온다. 팔팔 없다고요. 다 나갔어요. 조금 더 또렷해진 음성에 확고한 말투는, 어쩌면 팔팔이 있더라도 너에게는 팔지 않겠다는 것처럼 들린다. 없으면 없지 왜 거기 구석에 딱 붙어서 말해? 이쪽으로 좀 와봐, 얼굴을 보여보라고. 사람이 말을 하는데 어디 코빼기도 안 보이고 속닥속닥이야. 사람들은 자기가 필요하지 않을 때는 그림자 속에 사람이 은신하고 있다는 사실을 인식하지 않는다. 그러나 자기가 원할 때는 그림자 속 사람의 손목을 잡아당겨 끌어내야 속이 시원해진다. 사람을 사람으로 인지하고 파악하며 그 존재에 의미를 부여하는 행위와, 소유 내지 임의 처분을 구별하지 못한다. 파악은 손으로 쥐는 것〔把握〕이지만 그것을 놓아야 할 때를 모르거나 그것을 손안에 쥔 그대로 잡아 터뜨릴 권리가 있다는 뜻이 아님을, 대상을 파악하고자 하는 자는 알지 못한다. 그림자 사람에게는 얼굴을 감추고 싶어할 권리나 자격이 애초에 주어지지 않았다는 듯이. 나 봐, 똑바로 여기 구멍 앞에 딱! 나 보고 얘기하라고. 아가씨가 뭘 몰라서 가르쳐주는 건데, 사회생활 그렇게 하는 거 아니야. 사람이 얼굴을 마주보면서 어, 그런 게 예의지, 어디서 건방지게 목소리만 띡하니, 팔팔 없다고요- 하면 단가. 가게 안에 있으니까 바깥세상 잘 모르겠지? 어른이 말씀하시면 암만 팔팔이 없더라도 여기 얼굴 보면서, 어? 손님, 죄송하지만 팔팔이 다 나갔습니다. 어? 고개 똑바로 들고 시선은 상대방의 얼굴과 가슴 사이 고정, 요즘 젊은것들은 기본이 안 되어 있어. 아니, 게딱지만한 매점 부스 안에서만 살아서 사람 대하는 법을 못 배웠나?

세상 어디서도 인정받지 못하고 여기 매점에서라도 대우받아야겠다는 듯이 버티는 주정뱅이 바로 뒤에 줄을 서서 C는 초조하게 광장 시계를 올려다본다. 아, 만화영화 시간 놓치겠다…… 슈

퍼도 들려야 하는데…… 구멍 안쪽의 사람은 몸을 움직여 한없이 어두운 색의 아크릴판 앞 정중앙에 앉는다. 이제 됐어요? 팔팔 없습니다. 성대보다 더 깊은 내장에서 호소에 가까운 한숨처럼 끌어올려지는 말소리에도 남자는 성에 차지 않은 모양이다. 그래보았자 아크릴판이 워낙 깊은 늪지대 색이라 얼굴이 잘 안 보여서일까, 그보다는 처음부터 그가 원하던 바가 그게 아니었을 것이다. 너 이리 가까이 와서 다시 말해봐. 어디서 꼬박꼬박 말대꾸를, 어른이 가르침을 주시면 예 알겠습니다 고치겠습니다 하는 거지, 뭐? 이제 됐어요? 그때 C의 뒤에 선 건장한 남자 두어 명이 볼멘소리를 낸다. 아저씨 거 빨리 좀 갑시다. 그들에게 고립무원의 판매원을 도우려는 숭고한 뜻이 있었는지는 모를 일이나, 그제야 주정뱅이는 한 수 접어준다는 듯이, 마지막으로 구멍 안쪽을 한번 들여다보고 말한다. 어, 왜 자꾸 숨었는지 알겠네. 아가씨 아니고 아줌마네, 못난이 아줌마. 아줌마, 그렇게 살지 말어. 사람 대하는 거 그런 식으로 말고, 물건이 있든 없든 간에, 자기가 예쁘든 못생겼든 간에 손님한테는 방긋방긋 웃으면서 성의를 갖고 대해야지 남편한테도 사랑받고 말이야. 어? 자기 할말 다 하고 나서야 비로소 매점 앞을 떠나며 주정뱅이는 유행가를 흥얼거린다. 우리 동네 담뱃가게에는 아줌마가 못났다네…… 파마머리 헝클어진 것이 정말로 못났다네…… 그다음 가사를 바꿔 읊기 전에 주정뱅이는 몇 걸음 더 못 가고 제 다리에 제가 걸려 그 자리에 나동그라진다.

짙은 송충이눈썹이 도드라지는 반 독두禿頭의 수배 사진이 벽에 붙어 있다. 지나가던 사람들이 한 번씩 그 앞에서 멈춰 선다. 행방불명 가족을 찾는 전단지나 범죄자 수색 협조 포스터와는 조금 다르다. '이 사람을 본 적 있습니까?' 해상도 높은 올 컬러 사진이어도 기억에 남을까 말까 할 텐데 옷이나 구두, 체형 같은 다른 인상착의는 없이 조악한 흑백 복사물로 사람을 찾는다니 어림 반푼어치도 없어 보인다. 그런데 사람이면서 사람이 아니다. 당신의 꿈에서 이 사람을 본 적 있습니까? 매일 밤 전 세계 사람들 수백 명의 꿈속에 무작위로 나타나 꿈꾸는 사람을 쫓아오면서 공격하거나 때로 도와준다는, 행동반경이 광범위한 남자를 찾는다고 한다. 그를 본 사람이 아래의 링크로 접속하여 목격담을 나눠준다면, 그가 꿈속에 나타나는 목적을 탐구할 수 있을 것 같다며 도움을 요청하는 글이다. 2000년대 들어 여러 가지 티저에 익숙한 젊은층은 이 또한 모종의 포털 사이트나 서비스를 광고하는 낚시임을 알아차리고 외면하면서 쓴웃음을 짓는다. 광고를 할 거면 적어도 '선영아 사랑해'처럼 한눈에 띄게 현수막이라도 걸 일이지, 에이포지 크기의 몽타주로 시선을 끌겠다니 저예산에도 정도가 있다. 투자를 좀 더 해라. 그러나 티저라는 방식에 아직 익숙지 않은 중장년들이나, 오컬트에 경도되어 있으면서 〈신비한 TV 서프라이즈〉의 애청자로 호기심 미스터리 엑스파일에 관심 있는 사람들은, 몇 날이

지나도 광고의 정체가 밝혀지지 않자 사뭇 진지해지지만, 경로 불명의 약물중독에 의한 집단 환각 정도가 그나마 설득력 있는 가설이고, 지구인의 꿈을 통해 교신하는 외계인이라는 설부터는 좀 난감해진다. 무수한 세계인의 꿈속에 동시다발로 출몰한다는 점에서, 그에게 우주 어디에나 편재하는 신의 속성까지 부여하려는 주장마저 횡행한다. 신은 어디에나 있거나 어디에도 없다. 신은 어디에나 있는 동시에 어디에도 없다. 신은 세상 모든 곳에 있을 수 없기에 어머니를 만들었다는 유의 개소리만 아니라면, 신이라는 주어와는 어떻게 갖다 엮어도 어지간하게 말이 되는 것 같아서, 어떤 사람들은 인류의 꿈속에 나타나는 신이 옆머리만 남은 대머리일지도 모른다는 가능성을 격렬한 저항감 없이 받아들인다.

심지어 훗날 그 남자에 관련된 모든 이야기, 사람들의 꿈속 조우 경험담이나 정신과 의사에게 털어놓았다는 상담 내용 따위가 모두 마케팅업체의 자작극이라는 사실이 밝혀진 뒤로도, 어떤 이들은 그 남자의 존재를 믿기를 멈추지 않는다. 무엇보다 그 남자가 무엇을 광고하기 위한 피조물인지가 정확히 설명되지 않았으므로 더욱 그렇다. 웹사이트 오픈 홍보도 아니고, 새로 개발된 의약품, 막 개업한 정신의학과 의원이나 상담실, 속눈썹 연장 미용실, 비포 앤드 애프터를 보여주는 발모제…… 그 남자의 존재가 어디에 동원된 것인지가 알려지지 않는다. 공포영화 제작에 쓸 소스 모집을 위한 헛소동이라는 얘기도 어디까지나 사람들의 추측

일 뿐 업체에서 후속 설명은 없이 잠수를 탄 형국인데, 그뒤로 관련 영화가 제작되었다는 얘기가 없는 걸로 보아 아마 흐지부지됐을 것이다. 동일 이미지를 지속 주입하면 사람은 그걸 쉽게 믿어버리고 믿음은 타인에게 전염되며 대중심리는 전 세계에 걸쳐 광범위하게 조작 가능하다는 사회학자의 연구 보고서 작성을 위한 게릴라 광고였을지 모르지만, 그거야말로 굳이 통계를 내고 실례를 수집하여 연구까지 할 필요가 있나 싶을 만큼 인류 역사를 통해 증명되어온, 당연하고도 새삼스러운 사실이 아닌가. 인류는 종류 불문 믿음의 전염과 집적 그리고 집착을 통해 유지되어왔다고 해도 과언이 아닐 정도로. 이후로도 루시드 드림을 연습하는 이들이 꿈속에서 그 남자를 만났다고 주장한다. 이미 실제로 존재하지 않는다고 판명된 남자를.

그런데 비존재의 기준은 무엇인가. 살과 피와 뼈, 혹은 만질 수 있는 무언가로 이루어져 눈앞에 보이는 것만을 일컬어서 존재한다고 하지는 않는다. 안 그러면 세상에 존재하는 모든 것들을 존재하지 않도록 만드는 즉각적이고도 효율적인 방법이 성립하고 마니까. 그건 눈을 감고 귀를 막고 입과 코를 가리는 것이다. 모든 감각을 닫아버리고 인지를 차단하는 것이다. (그늘은 존재하지 않는다. 차별은 존재하지 않는다. 유리천장은 존재하지 않는다……) 그러나 들이마시는 공기, 보이지 않는 미세먼지, 그보다 더 작은 바이러스, 분자와 원자, 뭐든 간에 사람에게 어떤 식으로든 작용하거나 영향을 미치는 것들을 가리켜 존재하지 않는다고 말할 수 없다. 그렇다면 이미 수많은 포스터 노출로 인해 잠재의식의 원시 바다에 가라앉아버린 이미지를, 그리하여 복수의 사람들의 꿈속에 선명하게 떠오르고, 이것이 농담이나 조작이 아니라 실재한다고 믿을 만큼 정신에 영향력을 행사하는 얼굴을, 존재하지 않는다고 단정할 수 있는가. 단지 분자구조를 갖지 못했다고 하여. 그것이 일부 개인의 의식에만 거처한다는 이유로.

사람들의 논박은 일시적인 디스맨 소동을 넘어선다. 얼굴 한 번 본 적 없음은 물론 전화 통화도 해본 적 없는 랜선 너머 타인과 일상의 이미지와 텍스트를 공유하는 동안 잘도 사랑에 빠지는데, 마케팅이나 사회학 연구나 어떤 목적이든 간에 이미 대중의 인식에 생성되어버린 사람과 꿈속에서만 만나 대화한다고 해서, 그걸 상호작용이 아니라고 할 수 있는지에 대하여. 찰나를 초월한 이미지, 유사성의 끄트머리에 간신히 매달린 기억의 파편, 무시로 변용되고 변주되며 변모하므로 언제까지고 파악되지 않는 것을 가리켜 존재가 아니라고 단정짓는 일의 오만에 대하여.

남자는 방문을 열고 뛰쳐나간다. 그러나 메모에는 '그렇군요. 저도 당신을 만나고 싶습니다'라고만 적혀 있었을 뿐, 시간이나 장소에 대한 언급은 없다. 기세 좋게 달려나와 로비에 도착했지만 남자는 어디로 가야 할지 모른다. 저도 당신을 만나고 싶다고, 동일한 말의 반복으로 답 메모를 남긴 것은 어쩌면 예의상의 호응일 지도 모른다. 남자가 퇴근하고 온 길인 만큼, 여자 또한 당직이 아니라면 퇴근하여 이 호텔에 없을 수도 있다. 왜 그녀를 호텔에 상주하는 지박령처럼 여겼는가. 남자는 본의는 아니나 자기 본위로만 생각한 데 대해 자괴감을 느끼며, 그래도 혹시 몰라 프런트에 문의하기 위해 다가간다. 그러나 컨시어지 앞에서 입이 떨어지지 않는다. 그녀의 이름을 지금껏 물어본 적 없다. 그렇다고 1403호를 청소한 키퍼분이 누구냐고 했다가는, 혹시 청소가 미비했느냐고 불필요한 오해를 불러일으킬 수 있다. 사성급 호텔에 투숙중인 입성 괜찮은 고객이 프런트까지 와서 키퍼를 찾는다면 컴플레인 말고 다른 이유는 생각하기 어려울 테니까. 결국 남자는 묻기를 단념하고 다시 방으로 돌아간다. 생각해보면 만나자가 아니라 만나고 싶다는 말을 들은 상대방의 입장에서는 그렇군요, 정도 대답밖에 돌려줄 수 없다. 제안이 마음에 들지 않으면 분명하게 저는 만나고 싶지 않습니다 할 테고, 혹은 원치 않더라도 장기 투숙중인 손님의 기분을 상하게 하지 않도록 그렇군요 정도로 때울 수 있을 것이다. 반면 아무리 적극적으로 만남에 동의한다고 해도 그렇군요, 그럼 어디서 어떤 방식으로 언제 만날까요, 하고 제안한 쪽에게 되묻기 마련이다. 장소와 시간 제시는 그녀의 몫이 아니다. 남자는 자신이 센스 없었음을 인정한다. 그녀와 하루라도 빨리 만나고 싶었으면 '당신을 만나보고 싶어요'에다가 '동의한다면 아래 장소로 몇시까지 와주세요' 같은 당부를 덧붙였어야 한다. 물론 상대방에게 너무 체면 차리지 않고 들이대는 사람으로 보이기를 감수한다면 말이다. 고로 서둘러서는 오히려 일을 그르치며, 여자와의 만남은 단 하루나 며칠 정도 지연되는 것뿐이다.

이튿날 남자는 출근 전 모닝커피를 마시며 새로운 메시지를 작성한다. '당신도 만나고 싶다고 말씀해주셔서 기쁩니다. 당신의 근무 사정이 어떤지를 모르니, 괜찮으시다면 밤 여덟시에 이 가게로 와주세요. 제 전화번호로 예약을 해두겠습니다. 그것이 불가하다면 당신이 편한 날짜와 시간을 알려주세요. 그에 맞추어 장소를 잡도록 하겠습니다.' 그리고 아래에 휴대전화 번호를 기입한다. 남자는 콧노래를 부르며 출근한다. 그날은 오래도록 지지부진했던 한 건의 신규 계약에 성공한다. 퇴근 후 방으로 돌아왔을 때는 화장대 위에 자신이 아침에 쓴 메모만, 종이가 어디론가 날아가지 않도록 볼펜으로 가지런히 눌러놓은 모양으로 남아 있을 뿐 그녀의 답장은 따로 없어서, 남자는 여자가 이 방에 들르지 않은 것일까 순간 생각한다. 그러나 욕실에 물 한 방울 없고 수건도 각 맞추어 접혀 있는 걸로 보아 청소는 확실히 이루어졌고, 남자는 여자가 구구절절한 대답 대신 가게로 나오리라 예상한다. 그녀를 기다리게 해서는 안 된다는 마음에 남자는 서둘러 레스토랑으로 간다. 여덟시, 아홉시, 라스트 오더 때까지도 여자는 나타나지 않는다.

호텔로 돌아온 남자는 이번에는 주저 없이 프런트에 가서 1403호를 청소한 키퍼에 대해 묻는다. 컨시어지는 대답한다. 혹시 청소 서비스에 부족함이 있었다면 사과드립니다. 늘 그 방을 청소했던 X씨가 어제까지로 근무 계약 날짜가 끝나서, 새로 온 아르바이트 대학생이 치웠습니다. 남자가 쓴 메시지를 중요한 개인 메모나 서류라고 생각한 아르바이트생이, 쓰레기통을 비울 때 그것을 함께 버리지 않고 고이 눌러둔 것이다. 다급해진 남자가 X씨의 풀 네임과 연락처를 묻자, 호텔 청소 서비스는 외주 용역업체와의 계약으로 이루어지며 개인정보를 따로 알지는 못한다는 대답이 돌아온다. 그 용역업체의 이름과 연락처를 묻자, 컨시어지는 미심쩍다는 태도로 묻는다. 방에 뭔가 불편 사항이라도 있으십니까? 남자 쪽의 일방적인 장소 전달 단계에서 커뮤니케이션이 중단된 상태라 만나기로 약속했다고 보기는 어렵고 공연히 여자를 쫓아다니는 이상한 사람으로 보일까 싶어, 다소 궁색하게 들릴 법한 쪽을 선택하여 남자는 기지를 발휘한다. 실은 그 키퍼를 몇 번 복도에서 마주친 적 있는데—남자는 그녀를 본 적 없으며, 설령 보았더라도 그녀가 자신의 방 담당인지 여부를 복도에서 스쳐지나는 정도로는 단정할 수 없다—아무래도 오래전 소식이 끊긴 가족과 인상이 닮아서 언제 꼭 한번 물어라도 보고 싶었으나 기회만 엿보다가 이렇게 여의치 않게 됐다는 식으로. 그래본들 규정에 어긋나는 일이라 컨시어지는 당혹스러워하고 남자의 가족 사정은 호텔 측이 관여할 바 아니며 사람 찾기는 전문가에게 부탁할 일이지만,

그 간절함에 예외가 주어진다. 이튿날 남자는 출근 후 쉬는 시간을 이용해 용역업체에 X씨의 소재를 문의하는데, 업체에서는 계약 기간이 끝난 직원의 정보를 즉시 파기한다고 대답한다. X는 꿈일까, 꿈과 메모를 주고받았다 하더라도 서랍에 쌓인 그동안의 메모와 그것을 받았을 때의 남자의 감정이 여전한데 그것을 존재하지 않는 값이라고 치부해도 무방한가. 어쨌든 이로써 남자는 그녀와 대면하여 X의 값을 알아낼 기회를 잃고 만다.

아이를 데리고 학원 입시 설명회에 갈 시간이 빠듯하다는 친구의 일정 관계로 분위기 좋은 식당은 다음을 기약하고, 아쉬운 대로 C는 마트 푸드코트에서 친구를 만나게 된다. 유부우동과 순두부백반의 번호표를 받고 근황을 나누는데, 비혼에 독신인 C는 이제 친구와 공통 경험 및 화제가 거의 없는 까닭에 대학 시절의 일화와 추억을 뽑아먹으면서 버티는 일이 한동안은 조금 어려울 성싶었지만, 그럴 때는 서로의 집에서 키우는 고양이를 찍은 사진 폴더만 보여주어도 시간이 훌쩍 간다. 고양이가 인류를 구원한다. 혹은 인류가 멸망한 다음 고양이가 지구의 주인이 되어 마땅하다.

그때 그들이 앉은 테이블과 가까운 키오스크 앞에서 두 명의 노부인이 상품권을 들고 난처해한다. 기계는 친절한 음성으로 자세히 안내하나, 스크린을 터치하고 다음 화면으로 넘어간 뒤부터 수많은 선택지 앞에 어떻게 응전해야 할지 모르는 것이다. 한국어를 못 듣고 못 읽어서가 아니다. 듣고 읽어도 각각의 단어가 무슨 의미인지 파악하고 그것들을 조직하는 데 예전보다 시간이 걸리는, 분류와 추론, 인식과 수행이 원활하지 않은 나이가 됐을 뿐이다. 뜻밖의 시기에 삶이 중단되지 않는다면, 살아 있는 모두에게 언젠가는 찾아오는 자연적인 현상이다. 그들은 단지 바지락칼국수가 먹고 싶을 뿐이고, 그런데 칼국수까지 도달하기 위해 터치해야 하는 과정이 있고, 자신들이 찾는 것은 화면에 나타나지 않고, 사이드 바의 화살표를 터치하면 옆으로 넘어간다는 사실을 인지하지 못하고, 실은 부등호 비슷한 표시(>)가 다음으로 화면을 옮겨줄 화살표라는 사실부터 알아채지 못하고, 여러 번거로운 절차 없이 사람의 얼굴을 보면서 칼국수 둘이요, 입을 여는 것만으로도 모든 것이 해결되었던 시절을 떠올리고, 결국 그들은 누구 도와줄 사람이 없나 하고 주위를 두리번거리지만 키오스크 옆에 따로 직원은 없다. 사람을 한 명이라도 줄이려고 키오스크를 들여온 거니까 당연하다. C가 어찌할까 망설이기 전에 친구가 일어나더니 두 노부인에게 다가가 도와드릴게요, 한다. 그들은 반색하며 우리가 칼국수 두 개 하려는데 도무지…… 한다. 아이가 태어나기 전까지 적지 않은 업체의 고객센터에서 일했던 친구는, 노련하게 화면을 터치하면서 동시에 할머니 여기 한번 보아주시고요, 적절한 속도로 설명을 덧붙이기를 잊지 않는다. 그들은 끄덕끄덕하며 알아듣는 척한다. 다음번에 다시 와서 그대로 기억을 되짚어 따라 할 수 있는지는 알 수 없다. 칼국수 두 개가 장바구니에 담기자 노부인들은 마트 상품권을 내밀며 이걸로 어떻게 사느냐고 묻는다. 여기서부터는 친구가 어찌할 수 있는 일이 아니다. 해당 키오스크는 그나마 초기 버전이라 지폐와 카드를 둘 다 쓸 수 있지만 상품권 투입구는 없다. 할머님, 이 기계가 상품권으로 결제가 안 되고요. 이걸 일층 고객만족 센터 가셔서 현금으로 교환해 오셔야 해요. 상품권 말고는 동전만 있다는 노부인들은, 카운터에 상품권을 내밀면 사람이 알아서 계산 후 잔액을 현금으로 돌려주던 시절을 떠올리며, 이걸 또 언제 일층까지 가나 밥 한번 먹기 참 힘들다, 하면서 키오스크 앞을 떠나 에스컬레이터 쪽으로 향한다.

순두부와 유부우동을 받아와서 C와 친구가 막 뜨려고 할 때, 이번에는 또 한 노인이 답답하다는 듯이 키오스크를 두드리고 선다. 아까 두 노부인보다 조금 더 희끗한 백발이다. 누가 좀 들으라는 듯이 큰 소리로, 여기 왜 사람이 아무도 없어? 소리친다. C는 젓가락으로 우동 면발을 뒤적거리면서 친구의 눈치를 보는데, 이번에는 친구가 일어서지 않는다. 거의 의도적으로 그를 외면하면서 앞에 놓인 반찬을 집고, 모래 탈취제와 캣타워와 집사로서의 자세에 대해 이야기한다. 어쩌면 그 노인 또한 아까 노부인들처럼 카드나 현금 없이 상품권을 가져왔을지 모르는 일이라 C도 그에게 관여하지 않는다. 노부인들은 구시렁거리면서 일층으로 발길을 돌렸지만, 이번 노인은 여기 돈 바꿔주는 사람이 딱 지키고 서 있어야 할 거 아니냐고 생면부지의 타인을 붙잡아다 호통칠 가능성이 있어 보인다. 에이 씨, 사람을 세워놓아야지 사람을, 우리 같은 노인들은 뭐 어쩌라는 거야 이거. 그러면서 키오스크 화면을 때리던 노인은 이제 기계의 옆구리도 때린다. C가 어린 시절, 주파수가 잘 잡히지 않는 라디오나 화질이 좋지 않은 티브이를 집안의 가장이 일단 두들겨패고 보던 식으로. 말 안 듣는 것들은 우선 패고 보아야 한다던 그 모습 그대로. 화면에서 메뉴를 선택해주세요. 옘병, 기계가 쫑알거리기나 하고. 노인은 화면을 그대로 내버려둔 채 자리를 떠난다. 사람을 세워놓아야지…… 혹 보조 인력이 옆에 있었다면 노인은 그 사람을 때렸을 것이다. 자신이 이해할 수 없는 언어를 무작위로 출력하는 기계의 옆구리를 때리면 해결된다는 믿음 그대로, 사람을 때렸을 것이다. 그걸 생각하니 거기 사람이 없던 게 천만다행이라고 C는 생각한다. 설령 친구가 다시 한번 일어나 다년간의 경험으로 설명과 안내를 잘하고 그 노인에게 상품권 아닌 다른 결제 수단이 있었더라도, 메뉴를 고른 다음 나올 포인트 적립 방법을 선택하세요 단계에서 여러 종류의 포인트나 멤버십의 개념 자체를 설명하기가 난감했을 것이다. 적립을 그냥 패스하면 패스했다고, 설명하면 하는 대로 못 알아듣겠다고 때릴 것처럼 생긴 사람에게는.

C는 어린 날 해가 저물기 직전 매점 부스에 줄을 섰던 때, 이리로 나와 얼굴을 보이라던 주정뱅이를 떠올린다. 얼굴을 보이든지

말든지, 심지어 그녀에게 얼굴이 있든지 없든지 간에 매점에 팔팔이 없다는 사실은 달라지지 않음에도 불구하고, 내가 볼 수 있게끔 얼굴을 내놓으라던 주정뱅이를. 분명 거기 사람이 존재하는데 존재를 증명하라던 자를. 거기에 네가 안 보이면, 들어줄 사람이 눈앞에 없으면 내가 마음놓고 욕을 할 수가 없지 않느냐. 부스 안의 그녀가 막상 얼굴을 보이자 훈계할 핑계가 사라져 조롱의 노래를 부르며 떠나가던 그 주정뱅이는, 이마가 깨진 다음 어떻게 되었더라. C는 그때 아빠 심부름으로 석간신문 한 부를 샀을 것이고, C가 부스 앞에 섰을 때는 이미 그녀의 얼굴은 보이지 않고 다시 손끝만 나왔던 기억이 어렴풋하다.

남자는 방문을 열고 뛰쳐나간다. 그녀가 남긴 메모에는 '그렇군요. 저도 당신을 만나고 싶습니다. 저는 일곱시에 근무가 끝납니다. 의향이 있으시다면 여덟시까지 로비에서 기다리겠습니다'라고 적혀 있다. 마침 시간은 꼭 일곱시 삼십분이다. 로비는 체크인을 하거나 외출하러 드나드는 숙박객들로 부산하다. 손목시계를 보며 전화를 받는 사람, 서서 대화를 나누는 사람들, 소파에 앉아 잡지를 보는 사람들 해서 족히 여남은 명은 된다. 한 시간을 기다리겠다고 했으니 벽에 기대서 있지는 않을 테고 그녀는 소파에 앉아 있을 것이다. 남자는 소파 쪽으로 다가간다. 총 여덟 명이 앉아 있고, 그중 세 명의 비즈니스맨이 대화를 나누고 있으며, 다른 팀은 아버지와 어머니 그리고 어린이와 아기로 이루어진 가족이다. 그러면 나머지 한 명이 그를 기다리는 사람이다. 소파의 제일 바깥쪽, 몸을 일으켜 나가기 쉬운 쪽에 앉아 책을 읽는 사람. 그런데……

설마설마하며 남자는 멈추어 선다. 저기 혹시…… 남자는 자신이 입 밖으로 낸 목소리가 간신히 가청 범위 내에서 떨리는 것을 듣는다. 두쿵, 두쿵, 남자의 심박수가 과장 강조되어 예기치 않은 분위기의 BGM과 어우러진다. 책 읽던 사람이 고개를 든다. 1403호 손님이신가요? 활짝 웃으며 그녀가 일어나 돋보기안경을 고쳐 쓴다. 돌아가신 어머니와 비슷한 연세일 것 같은 그녀가.

장르가 바뀐다. 휴먼코미디풍으로. 더는 로맨스가 아니게 된다. 현실 사례를 진지하게 찾아보자면 어느 정도 돈에다 지위를 확보한 남성이 호텔 하우스키퍼인 또래 여성과 성의 있는 교제를 이어가는 일과, 노년 여성-젊은 남성의 로맨스와 결혼이 이루어지는 사례 가운데 어느 쪽이 더 빈도가 높을지 모르지만—후자는 노년 여성이 젊은 남성보다 부유층 혹은 주류층에 속하거나, 최소한 둘의 사회적 지위가 엇비슷한 경우가 많다—, 영화는 투자처의 입장을 고려하지 않을 수 없는 산업이므로 가능한 한 소비자 다수의 기분과 니즈를 만족시켜야 한다. 트렌드를 따라가기보다는 그것을 새로이 형성하고 주도하는 쪽이 문화의 존재 가치 측면에서 의미 있음은 물론 성공했을 때 더욱 인정받게 될지 모르나, 이미 시장에 정착한 욕망을 충실히 재현하고 그에 부응하는 쪽이 리스크가 적다.

브레이크 풀린 장면이 여기까지 떠내려왔을 때 선택할 수 있는 최선의 흐름이란 이런 것이다. 남자는 자신이 뱉은 말에 책임을 지기 위해 여자와 몇 차례 식사와 술을 함께하면서, 만나고 싶다곤 했지만 사귀자고 쓴 적은 없는 자신의 신중함을 마음속으로 다행스럽게 여기는데, 한편으로 편안하고 유쾌한 그녀의 화술과 일반 문화상식에 감탄하고, 그녀가 타인들에게 베푸는 몇 가지 행위와 관심들을 눈여겨본 결과 좋은 사람이자 존경할 만한 사람이라는 사실을 인정하게 된다. 그리고 단지 타인의 얼굴을 보지 못했다는 이유로 상대방의 입장과 이미지에 대해 마음대로 재단에 가까운 상상을 했던 자신의 편견과 무례, 무관심을 깨달은 뒤 원래는 그녀에게 작업을 걸 의도였음을 고백한다. 이는 평범한 고백이 아니라 뜻밖의 사고나 우연으로 인해 폭로되어야 더욱 극적일 것이다. 남자가 이때까지도 그녀의 장점을 몇 가지 포착하긴 했으나, 그녀가 진정으로 말을 갖고 자신의 얼굴을 가졌는지, 그들 사이에 어디까지나 동등하게 말이 주어졌는지에 대해서는 깊이 고민한 바 없음이 들통나는 장면으로써 말이다. 가진 사람은 자신에게 부족한 거라면 몰라도 이미 넘치는 것에 대해 통감하는 경우는 드물기에, 이는 스스로의 고발보다는 발각의 형태가 적절할 것이다. 우여곡절 끝에, 당연히 그녀는 처음부터 남자의 의중을 짐작하고 한 방 먹여주려는 생각으로 응했는데 거기서 바로 물러나지 않고 꾸준히 만남을 이어온 남자의 성실한 태도를 높이 산다고 대답하며, 당신은 어디 가서든 누구를 만나든 최선을 다할 수 있는 사람이라고 칭찬한다. 남자는 인생 경험이 많은 그녀와 인간적인 교감을 나누고 현명한 지혜를 전수받은 뒤, 출장 업무를 마무리하고 호텔을 떠난 뒤에도 가족적인 관계로 남아 우정의 연락을 주고받는다.

이러한 과정과 대단원을 위해 처음부터 조정하고 추가해야 할 설정은, 출장을 떠나오기 전 남자에게는 관계가 소원해진 여자친구가 이미 있었다는 것이며, 출장을 마친 뒤 정신적으로 조금은 성장한 남자가 여자친구와 오해를 풀고 관계를 개선하기 위해 애쓴다는 암시를 주는 것이다. 등장인물 모두가 손해볼 거 없고 비극적인 요소를 최소화하여 좋은 게 좋은 결말로, 쾌적하고 안전한 콘텐츠를 추구하는 일군의 소비자에게 최대한으로 복무하는 방법이다. 코미디 요소를 강화하자면 중간에 여자친구가 관계 회복을 요구하며 출장지로 갑자기 찾아왔다가 그와 그녀를 보고 오해를 안은 채 도망쳐버리는 장면을 추가할 수도 있겠고, 여자친구를 얼른 쫓아가라는 그녀의 충고를 듣고 남자는 달려가거나 반대로 따라가기를 포기하여 더 큰 문제의 불씨를 키워도 좋겠지만, 이때 소비자가 견딜 수 있는 공감성 수치의 한계를 신중히 가늠하는 게 좋을 것이다.

반면 감독과 제작사가 리스크를 감수할 의사가 있다면, 여기서 남자는 기존 여자친구와 결별하고 늙은 하우스키퍼를 진심으로 사랑하게 되었다고 매달리거나 내달리는 방향으로 노선을 변경할 수 있다. 이렇게 했을 경우 다소 파격적이라는 인상은 줄 수 있지만, 파격만 바라보고 그런 선택을 하기에는 이미 수전 서랜던 주연의 〈하얀 궁전〉과 이자벨 위페르 주연의 〈수브니르〉 그리고 아네트 베닝 주연의 〈필름스타 인 리버풀〉 등이 있으니 그렇게까지 모험이나 혁명이라는 느낌은 주지 않으면서, 공연히 관객의 마지노선이나 이런저런 골짜기만 건드리다가, 전체적인 분위기 또한 코미디가 상당 부분 거두어지고 극한의 멜로 쪽으로 치달은 결과 애초 상정했던 관객 범위가 달라지거나 축소될 가능성이 있다. 멜로와 로맨스는 닮은 얼굴을 한 다른 성격의 형제와 같다.

어정쩡하게 변질될 바에야 장르를 아예 변경하여 서스펜스 스릴러풍으로 돌리면 어떨까. 약속 장소에 나온 늙고 볼품없는 청소부를 먼발치서 확인하고 환멸을 느낀 남자는 서둘러 업무를 정리하고 체크아웃한다. 그러나 그가 도망치듯이 멀어지는 모습을 확인한 그녀는 어느 날부턴가 그의 주위를 맴돌며 그의 연인과 지인들에게 접근하기 시작하는데…… 남자는 얼굴 없는 상대라 하여 가볍게 여기고 함부로 대한 자신의 무책임과 과오를 비로소 후회하나 이미 때는 늦었고……

친구를 보내고 도서관의 서가 사이를 방황하다 별다른 소득 없이 집에 돌아온 C는 피아가 공을 굴리며 잘 노는 모습부터 확인한 뒤 가방을 내려놓다가, 식탁 위 쟁반에 포스트잇이 붙어 있는 것을 본다.

C는 꿈속의 영화가 중단된 뒤, 현실에서도 그와 비슷한 종류의 영감을 불러일으키기 위해 테이블에 메모를 적어두고 외출했다. 피아와 둘이서만 사는 집이라 자주 필요하지는 않지만 고양이털과 욕실, 부엌 청소 등을 위해 일주일에 한 번 가사도우미 출장 서비스를 이용해왔다. 가사도우미의 얼굴은 처음 면접 때만 보았고, 면접 당시 고양이의 상태 관찰을 위해 실내 CCTV가 있다고 양해를 구한 뒤, 현관 비밀번호만 넘기고 지금까지 비대면으로 서비스를 이용중이다. 도우미가 일하는 동안 C가 집에 머물러 있어도 무관하나, 독신생활이 길고 대부분의 일을 혼자 하면서 업무 전달은 메시지와 메일 위주로 주고받는 C는 도우미와 혹시라도 나누게 될지 모르는 스몰토크에 자신 없었다. 예전에 동네 상가 건물에 붙어 있던 '파출부 · 식당 · 조경' 간판만 보고 급하게 이사 청소 서비스를 불렀다가, 엄마뻘 되는 도우미가 고향은 어디냐 왜 혼자 사느냐부터 형제는 몇이냐 남자친구는 없느냐 같은 걸 묻는 바람에 질려버렸던 경험도 있었다. C는 나이를 먹을 대로 먹은 어른으로, 그런 질문이 불편하니 말 걸지 말아달라고 요구해도 되었겠지만, 얼굴을 마주하고서 그런 말은 차마 나오지 않았다. 지금 이용

하는 홈케어 웹사이트에서는 도우미의 호칭을 '매니저'라고 통일하며, 계약할 때 업체에서 교육 이수 증명서와 배상 책임보험 증서를 보내는 등 최대한 전문적이며 체계적인 느낌을 내려고 한다. C는 처음 한 달은 의구심과 조바심을 안고 CCTV를 확인해보곤 했다. 아무런 문제도 일어나지 않고 도우미가 피아도 잘 다루는 것을 확인하고 나서는 외출하면서 휴대전화로 당부 사항만 보내두기 시작했다. 세탁기 안에 들어 있는 빨래는 조금 더 모아서 할 거니까 그대로 두셔도 됩니다. 청소기는 AS센터에 보냈으니 청소포 밀대로 부탁드립니다. 주방세제와 욕실세제 리필은 다용도실에 있습니다.

그러다 오늘 처음, 필요한 사항을 휴대전화 메시지로 전달하지 않고 손글씨를 써서 식탁에 남겨두었다. 꿈에서 본 대로 '항상 청결하게 해주셔서 고맙습니다.' 그녀는 돈을 받고 일하는 것뿐이며 그 돈마저도 업체측에 중개 수수료를 떼일 테고 C와 그녀의 관계는 거기서 머물겠지만 그래도 C는 한 줄을 더 추가했다. '여행 가서 사온 과자인데 괜찮으시면 드세요.' 그리고 포장 상태 그대로의 과자 위에 그 메모를 남겨두었다.

그 과자 상자가 사라지고 쟁반에는 답 메모가 남아 있는 것이다.

'감사합니다. 잘 먹을게요.'

포스트잇에 적힌 내용은 그 한 줄이 전부지만 C는 잠깐이나마 마음이 따뜻해진다. 얼굴을 마주 대하지 않고도, 선 넘는 관심이나 무례한 참견을 동반하지 않고도 타인과의 관계 형성은 가능하다는 믿음이 생기며, 실제 존재하는지 여부를 알 길 없는 영화 속 남자가 첫번째 답장을 받고 어떤 기분이 들었을지 이해할 수 있겠다는 생각이 든다.

저녁을 먹고 나서 C는 한동안 정리하지 않아 용량이 아슬아슬할 CCTV의 메모리를 빼낸다. 별다른 의도 없이 다만 호더 기질 때문에, 데이터를 삭제하기 전 컴퓨터 하드에 모두 옮긴다. 그러다가 무심코 오늘 치 영상을 클릭한다.

몇 분 지나지 않아 C는 허리를 곧추세우고 앉는다.

도우미가…… 그전과 다른 사람이다.

지나간 영상 두 달 치를 모두 재생해본다. 단 한 번 면접을 보았을 뿐인 도우미의 얼굴을 선명하게 기억하지는 못한다. 그러나 바로 지난주까지 왔던 사람은 전형적인 짧은 펌의 장년長年 여성이었는데, 오늘 영상에는 긴 생머리를 묶은 중년 여성이 나온다. 어쩌면 C보다 적은 나이일지도 모르는 얼굴이다.

C는 옷장을 열어 가방 개수를 확인하고, 화장대 서랍을 열어 반지와 장신구를 확인한다. 책장에 꽂힌 클리어파일과, 보통 사람이라면 손대고 싶지 않을 것 같은 지루한 제목들이 붙어 있는 책을 꺼내본다. 끼워두었던 통장과 현금, 사용 빈도가 낮은 카드 모두 위치가 바뀐 느낌은 없다.

그러는 동안 C는 몇 번이고 스스로에게 다짐을 주거나 확신을 환기하듯이 고개를 주억거린다. 업체와 사람을 못 믿어서가 아니라, 이건 반사적이다. 당연한 본능이다. C 아니라 누구라도 이 상황에 이렇게 할 것이다. 생전 본 적도 없는 사람이 집에 들어와 네 시간을 체류한 것이다. 그전의 도우미에게 무슨 일정 변동이 생겨 누가 좋은 마음으로 대타를 뛰었든 어떻든 간에, 이름도 모르고 업체의 교육 이수 여부도 모르는 누군가가 들어온 것이다. 최악의 경우 업체에 소속되지도 않은, 도우미 개인의 교회 친구나 딸일지도 모르는 일이다. 정식 소속 매니저라고 한다면, 대타가 간다고 사전에 업체가 연락을 주었어야 했다. 사정상 다른 사람이 온다고 당일치기로 문자만 주었더라도 C는 이렇게까지 당황하지 않았을 것이고 호불호를 말하지 않았을 것이다. 매니저 관리 소홀로 장기 이용 고객을 놀라게 했다. 이 무성의를 용서할 수 없다. 돈을 받고 일하는 사람들이 이렇게 정신이 빠져서야 되겠는가. 내일 아홉시 땡 치면 고객센터에 연락하여 강력히 항의할 것이고 소비자보호원에 고발할 것이다. 필요하다면 서비스 요금 환불을 요청하는 내용증명을 보낼 것이다. 돈을 지불하고 노동을 구매한 입장에서 이는 결코 무리한 요구가 아니라 당연한 권리다. 긴 생머리를 질끈 묶은 그녀가 청소를 얼마나 잘 수행했으며 평소 어떤 성품의 사람인지는, 미안하지만 고려 대상이 아니다.

C는 이를 갈면서 잠자리에 든다. 피아가 옆으로 다가와 몸을 뻗는다.

그리하여 남자는 방문을 열고 뛰쳐나간다. 메모에는 이렇게 적혀 있다. '그렇군요. 저도 당신을 만나고 싶습니다. 그러나 서로에게 불필요한 기대를 갖게 될까 두렵습니다. 만나고 싶은 마음만 간직하겠습니다.' 순간적으로 열어준 마음을 놓칠 수 없는 남자는, 그대로 프런트에 달려가 1403호를 청소한 분이 이미 퇴근했는지 여부를 묻는다. 혹시 객실에 무슨 불편한 점이라도…… 하며 조심스레 입을 떼는 컨시어지의 말을 잘라버리고, 체면이나 타인의 시선 집중은 무시하고서, 아무런 문제 없고 다만 그동안 청소뿐만 아니라 너무나 많은 도움을 받았기에 꼭 커피 한잔이라도 사드리고 싶어서라고, 사실에 가까운 경위를 설명하며 청한다. 식사나 데이트 약속이라면 수상쩍고 부담스럽겠으나 로비에서 커피 한잔 정도야 어떤가 싶어진 컨시어지는 스태프 룸에 들어가 직원들과 몇 마디 나누더니 어디론가 전화를 건다. 오 분 남짓 지났을 때 마침 퇴근길이었는지 회색 코트와 무채색 위주의 검소한 사복 차림에 핸드백을 멘 그녀가, 수수하면서 청결해 보이는 이미지에다가 상냥하면서도 약간 난처한 빛이 감도는 얼굴을 하고 로비에 나타난다. 이때 그녀가 느끼는 난처함이란 그를 만나고 싶지 않아서가 아니라, 그야말로 열심히 일했을 뿐인 자신이 이런 자리에서 그런 치하를 받을 만한 사람인지 잘 모르겠다는 겸손한 의구심이다.

정해진 수순과 패턴대로 남자는 여자의 실물을 보는 순간 한눈에 사로잡히고, 봄으로써 비로소 현현하기 시작한 타인의 얼굴은 메모의 글자체를 보고 했던 예상이나 은근히 가졌던 기대에서 크게 벗어나지 않았으며, 얼굴을 확인하고 나자 그는 비로소 타인에 대해 응답을 하고 타인으로 인해 상처받을 용의도 있는 마음의 준비가 되었음을 알게 된다. 이제 그들 앞에는 약간의 실랑이나 해결 가능한 수준의 난관만이 남아 있을 뿐 사랑의 해피 엔딩이 기다리고 있다. 설령 어디선가 백만 번쯤 본 듯한 젊은 선남선녀의 스토리면 또 어떤가. 사랑은 재료이며, 그것을 먹기 좋게 요리하는 것은 칼을 쥔 셰프의 디테일에 달려 있다. 태어나서 사십여 년간 먹은 파스타가 수백 접시에 이른들, 이 세상에서 파스타가 없어져야 한다거나 이 가게를 제외한 다른 모든 식당에서 별반 맛 차이도 안 나는 파스타 판매를 금지해야 한다고는 말하지 않는 것처럼. 결국 이걸로 소설을 쓸 수 있을지는 알지 못하나 C는 꿈속에서도 비로소 안심이 된다. 균형과 평형감각을 찾은 것이다. 지연도 미정도 유예도, 그 어떤 불안한 요인도 없이 최대 다수의 마음을 최대로 행복하게 만들어주는 콘텐츠를 제작해야 할 시간이다. 지금은 아직 렘수면의 망망대해를 떠도는 조난자일 뿐이지만, C는 일어나면 피아를 품에 끼고 한 손으로라도 첫 문장을 쓰기 시작할 것이다.

# 에너지를 절약하는 법

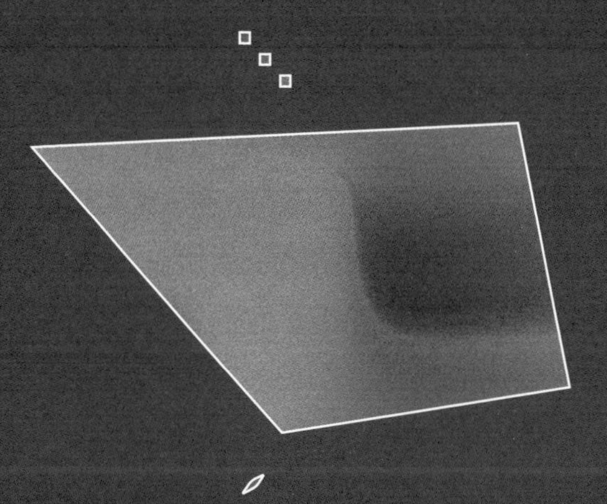

등사실謄寫室에서는 날마다 뭔 같잖은 유인물을 수천 장씩 찍어 대고—이는 등사실 근무 기사님 혹은 소사님들의 노동을 폄훼하고자 함이 아니라 지시받은 내용대로 활판을 긁어다가 롤러로 밀어내시는 게 그분들 업무이자 의무였으며 지금 학교는 등사실이라는 게 없어졌을 테니 이 부분은 그런가보다 하고 넘어가기로—담임들은 그걸 받아와서 배부하는데, 그 왁스인지 휘발유인지 한 번 맡으면 여기가 어딘지 내가 누군지 잊어도 무리가 아닌 냄새를 풍기는 갱지 묶음에서 실제로 유용한 것들이라면 중간 기말 시험지 정도일까, 그 외에는 학기 초에 느이 아부지 뭐 하시냐가 요점인 호구조사서—어느 아파트에 사느냐 집은 몇 평이냐 자가냐 전세냐 월세냐 학교에서 집까지 통학 시간은 얼마나 걸리냐 엄마 아빠 생년월일과 최종 학력 및 최종 졸업 학교의 이름, 현재 직업과 근무처 업체명과 직급, 형제자매 이름과 집안의 종교와 가훈—를 시작으로 하여, 이후 육성회비 고지서, 반공 글짓기 대회, 반공 웅변대회, 우유 급식비 납부 안내문(유당불내증이나 비건이라는 말을 세상 누구도 들어보지 못한 시절이라 예외란 없었고 음식 알레르기에 대한 인지도 또한 낮았다), 새마을운동 정신 함양 학습지, 혼분식 장려 및 실천 여부 검사 예고장, 채변 봉투, 전교생 농협 통장 의무 가입 안내문까지. 유인물로는 일일이 나오지도 않는 폐품 수집 반별 할당량에(일인당 사 킬로를 가져와야 하며 그 언저리면 대강 봐주었지만 저울 눈금보다 한참 밑도는 경우 복도로 끌려나갔다. 사 킬로라니 뼈도 다 안 자랐을 아이들에게 이 무슨 잔인한 처사인지, 내가 지금 운동할 때 쓰는 육각 덤벨도 이 킬로를 넘겨본 적 없는데) 환경미화용 잔디 구입 제출이나(교문 앞에 잽싸게 트럭 끌고 온 정체불명의 아저씨가 어른 주먹 크기로 퍼 담은 잔디를 한 봉지당 사백원에 팔았는데 초록 잔디 반 갈색 흙 반이 아니라 대부분 흙덩이에 누렇게 마른 지푸라기가 몇 올 끼어 있을 뿐이어서, 훗날에는 그게 잔디 뿌리가 잠든 떼라는 걸 이해했지만 당시에는 대동강 물 팔아먹는 봉이 김선달 수준으로 보였고, 그 와중에 잔디가 모자라다며 이튿날 전교생더러 한 봉지씩 더 사오라는 교내 방송이 나왔다) 서울이 수장되지 않도록 하기 위한 평화의 댐 건설 모금(코 묻은 돈이나 걷어갔으면 그만이지 당최 누구더러 들으라고 전교생을 운동장에 끌어내서 김일성을 규탄하라는 구호와 함께 주먹으로 하늘을 찌르는 퍼포먼스까지 시켰는지는 모를 일이지만 이런 액션이 나왔다는 점에서 이미 평화라는 이름과는 거리가 멀어졌다) 같은 것들까지 기억나는 대로 열거하고 보니 과거 국민학교 교사들의 잡무 강도는 새삼 하드코어였겠으며, 그들이 아이들을 구타하는 데 있어서 분풀이 내지 살풀이가 포함되지 않기가 어려웠겠다 싶다.

이놈의 문서 프로그램은 자판으로 국민학교를 입력하고 스페이스바나 엔터키를 누를 때마다 자동 교정 모드를 실행하여 초등학교로 바꾸어놓아서, 나는 '도구' 메뉴에 기본 설정된 '빠른 교정 동작' 옵션의 체크박스를 해제하기로 한다. 내가 졸업한 곳은 국민학교이고 나는 국민학생이었단 말이다. 이 국민의 원래 의미 유래가 '황국 신민'의 준말이었다는 정신적 역사적으로 큰 문제가 있다지만, 교장 교감의 월요일 전체 조회 훈화에서는 애들을 우중이나 설중의 운동장에 세워두고 각목으로 을러가면서 여러분이 이 나라의 슬기로운 국민의 일원으로 자라나야 한다는 요지의 얘기가 반복됐으므로 우리야 그걸 문자 그대로 나라 사람인 줄 알며, 국민을 육성하는 주요 방식이 대가리 내밀지 말고 아가리 닥치고 줄 맞추어 똑바로 서지 못하겠느냐는 욕설과 구타라는 점에서 국민 되는 길 참으로 험난하구나 따위만 알지 누가 황국 식민지와 연관 지어 생각하겠냐고. 훗날 초등학교로 이름이 바뀌었을 때도 나는 그 이유를, 아 그렇지 중과 고등과 대가 있는데 기초 교육 과정의 명칭으로 국민이라니 아무래도 좀 이상했지, 의무와 소속만을 강조한 반민주적인 표현 같았지, 정도로 짐작하고 내가 다시 다닐 것도 아니라 원래 무슨 뜻인지 상관하지 않은 채 지나쳤던 것이다.

아무려나 일주일에 두세 번은 배부되는 유인물 가운데 그날 받은 가정통신문은 「가정에서 물자 절약 실천하기」였다. 열 살이었던 나는 이미 그전에 큰아빠네서 『의식 개혁 운동』(새마을교육사)을 보았으므로 관련 내용을 대충 알 것만 같아 지루함이 몰려왔다. 지금의 나라면 의식 개혁이라고 했을 때 데이비드 호킨스나 켄 윌버 내지 스콧 펙 등 영성을 강조하는 사상가들을 떠올리겠지만 그때의 『의식 개혁 운동』이란 간행처 이름을 보면 알조인데다 '심의필' 도장이 찍힌 교육만화로, 주요 내용을 종합하면 어린이를 새마을정신을 계승하는 성실한 국민으로 자라나게 하자는 거였다. 거기에는 육교를 이용하지 않고 무단 횡단하던 남학생이—어린이 아닌 분명 학생이었다고 기억하는 이유가, 목까지 칼라가 올라오는 일본식 가쿠란을 입고 제모를 썼다—차에 치일 뻔하다 살아났는데, 보호자가 이 학생을 데리고 버스 운전사를 비롯한 시민들에게 피해를 주었다고 사죄하는 내용이 나왔다. 함부로 질서를 어지럽힌 데 대한 준엄한 일갈을 목적으로 한 에피소드들이 책의 주요 골자를 이루고 있었다. 다음 챕터로 넘어가면 “세상에서 가장 일찍 일어나는 근면한 자는 누구?” 같은 질문을 제시하며 그 정답으로 “일찍 일어나는 새가 벌레를 잡고 청소부도 새벽부터 거리를 쓸고 우리의 아버지도 출근하려고 서둘러 일어나시지만 우리를 위해 아침식사를 준비하시는 어머니가 제일 부지런하다”는 결론과 함께 앞치마를 두르고 부엌에서 일하는 여성의 뒷모습이 그려졌다. 엄마 없는 사람 서러워서 살겠냐 같은 반론은 지극히 정상적이고 아름다운 한 가정의 모습에 끼어들 여지가 없었다. 또다른 챕터에서는 흥청망청 낭비 금지, 가정교육의 중요성…… 큰아빠 집에 있는 만화라곤 그거 한 권뿐이라 나는 증조할머니의 장례 기간 내내 그걸 읽었으므로 가정에서 물자 절약을 하는 방법도 대강 안다고 여겼다.

뻔한 거 아닌가. 안 쓰는 코드 뽑기, 전등 껐다 켰다 안 하기, 텔레비전은 하루에 삼십 분 이하로 시청할 것(마침 어른들이 부제나 아호雅號라도 되는 것처럼 그렇게 부르곤 했다. 텔레비전=바보상자, 만화=유해 매체, 헤비메탈=악마의 음악), 손 씻을 때는 물을 콸콸 틀어놓지 말고 대야에 받아서, 이때 (아마도 고무 패킹이 닳아 헐거워진 수도꼭지에서) 한 방울씩 떨어지는 물은 그대로 버려두지 말고 대야에 받아놓기(패킹이나 수도꼭지를 교체한다는 근본적인 해결책은 웬만해선 선택지에 없던 시기. 철이나 고무 같은 물자가 추가로 소비되니까. 폭발하여 홍수가 날 정도가 아니고서야 줄줄 새는 U자형 수도관에 테이프를 감아 때우고 사는 이들은 요즘도 있는데 이를테면 내가 지금 사는 빌라 집주인), 몽당연필은 빈 볼펜 대롱에 끼워서 끝까지, 공책은 겉장 누런 마분지 부분까지 알뜰하게 쓰고, 외제 물건을 사지 않는다, 반찬은 딱 먹을 만큼만 적당하고 정갈하게 덜어…… 절반가량은 어린이가 홀로 실천할 만한 일은 아니며 부모가 주도해야 가능하지 싶어서 이후론 쉽게 잊어버렸다. 가정에서 발생하고 소모되는 에너지를 주로 집행할 권리를 지닌 이가 누군가 하면 돈을 버는 어른들이다. 어른들은 자기들 사정에 따라 움직이지 아이들을 회의나 합의에 참여하게 해주지 않는 게 보통이었다. 가령 아빠의 사업이 망해 가족이 야반도주를 하게 생겨서 줄줄이 딸린 아이들은 따로따로 분산하여 친척 집에 맡겨야 하고 학교는 전학해야 한다든가 같은 사태가 있을 때, 전학을 원치 않는 아이의 목소리를 경청하는 어른들은 없었다. 돈이나 어른들의 관계가 걸린 문제 앞에서 아이는 의견이 없고 뒷다리를 핀으로 찌르면 꿈틀거리는 신경만을 가진 개구리 정도의 생물로 간주되었으며 상당수 어른들은 아이들에게 신경이 있다는 사실조차 망각하기가 보통이었다. 그러므로 아이들이 어른들과 제대로 된 의사소통을 하지 못하는 상태에서 개인적으로 실천할 수 있는 물자 절약이라고 한다면, 화장실에서 큰 볼일을 닦을 때 인간적으로다가 네 칸은 겹쳐 써야 안심되는 휴지를 눈 딱 감고 세 칸으로 줄인다든가 하는 수준일 거였다. 하여간 유인물의 요지는 전기든 종이든 쓰는 순간 낭비가 시작된다는 거였으며 뭐든 간에 쓰지 않으면 되고 사지 않으면 되었다. 그렇다면 차라리 인간이 살아 있기를 그만두면 되지 않나. 태어나지 않는 편이 좋았나. 그렇게 멀리 갈 것도 없이 이 유인물을 찍을 잉크를 절약할 수는 없었나. 여러 가지 의문이 동시다발로 떠올랐지만, 유인물 내용을 항목별로 담임이 하나하나 불러주고 교실 안의 예순다섯 명에게 복창하게 해서 나도 심드렁하게 소리내어 읽어나갔다. 그러다가 수도 절약 항목에서 입이 굳어버렸던 거다. "손 씻은 물은 양말과 속옷을 빨래하는 데 쓴다"를 따라 읽은 다음이었다.

"목욕할 때는 온 가족이 한꺼번에 샤워한다."

선량하고 해맑은 이 나라의 기둥들이 담임의 선창을 받아 그대로 따라 읽는 동안 나는 입 모양으로만 달싹거렸다. 뭐라고 딱 잘라 말하기 힘든 부정적인 감정이, 안 그래도 만원버스인 내 마음에 안내양 언니의 저지도 무시하고 덜컥 탑승했다. 한꺼번에 온 가족이? 제정신인가? 화목하게 목욕을 한다는데 대체 어떤 점에서 제정신 아니냐고 할 것 같으면 당시 보유한 언어 창고의 수준으로 미루어 제대로 된 대답은 나오지 않았을 것이다. 내 처지에서 온 가족이라고 하면 누구를 꼽을 수 있을까. 유인물에서 일컫는 가족이란 '비록 사정상 멀리 떨어져 있어도 혈연관계가 있음을 아예 잊지는 않은 인간들'을 가리키는 말이 아님은 분명했다. 함께 살지 않는 혈연이 어디서 휴지를 몇 칸씩 쓰고 플러그를 꽂은 채 내버려두며 자정의 애국가가 나올 때까지 텔레비전을 틀어놓는지 알 바도 아니고, 함께 살지 않는다는 것은 바로 그 사실을 포함하여 그 집안에 당장 수도 몇 방울을 아끼는 일보다 중대한 문제가 널리고 깔렸다는 뜻이었다. 지금이나 두 집 건너 한 집이 이혼하든 말든 그런가보다 하지 그때는 엄마나 아빠 어느 한쪽만 있다 하면 타인의 반응은 백안시 또는 동정 둘 중 하나였고, 조금 인식이 진일보한 이들이나 종교 계통에 몸담은 이들은 "부족함이 너 자체를 말해주는 게 아니"라고 위로하며 주어진 환경을 극복하라고 종용했는데, 하여간 그런 케이스를 사회가 정상의 범주에 포함시켜주지는 않았으므로 웬만하면 숨겨야 할 흠결이었다. 여자는 한번 결혼하면 그 집 귀신이 될 때까지를 운운하는 속담을 인용하지 않더라도, 적지 않은 집에서 사흘돌이로 세간 부서지는 소리와 곡소리를 내면서 사람들은 꾸역꾸역 살아냈으며, 스물아홉 살에 중매 결혼한 옆 반 담임에게 동료 교사들이 가장 많이 전한 덕담이 "노처녀 탈출 축하"였던 시대임을 감안하기로 하고, 아무튼 가족, 가족으로 돌아오자. 온 가족.

함께 거주하며 물자 절약 공동체를 형성 및 유지하는 게 가족이라면 이때 나의 가족이란 작은엄마, 작은아빠, 그리고 그 집의 나보다 한 살 어린 쌍둥이 남자애들, 작은아빠 집에서 모시고 계신 할머니와 할아버지까지 총 일곱 명으로, 어리다면 어린 나이였지만 얹혀 지내는 입장에 최소한의 눈치가 생긴 나로선 전후 사정 불문하고 작은엄마가 천사라는 사실만은 모를 수가 없는 인적 구성이었다. 그런데 형편이 넉넉하고 집 평수도 넓은—인근 아파트 대단지에서 세번째로 컸다고 기억한다—작은아빠네라고 할지라도, 동시에 일곱 명을 수용할 만큼 욕실이 넓지는 않았다. 어쩌면 유인물에서 말하는 온 가족 함께 목욕이라 함은, 뒷마당이 있는 단독주택에서 다 같이 바가지와 고무호스를 휘두르며 정수리에 피가 쏠리는 단체 기합 자세로 등목이나 하던, 구태로의 향수에 불과하지 않았을까? 이 유인물을 작성한 어른은, 혹시 뒷마당이나 공중 대욕탕 외에는 최근 일반 가정집의 욕실에서 목욕을 해본 적이 한 번도 없는 거 아닐까? 서울 아시안게임 개최국 지정 시대를 사는 지금의 국민학생들이, 여전히 1960년대에 익숙했던 방식으로 최소한의 위생을 관리하고 있으리라고 착각하는 거 아닐까?……라는 것은 실은 부차적이고, 온 가족 함께 목욕에는 그보다 더 근본적이고도 생리적인 불안과 불쾌가…… 말로 빚어 입 밖으로 내는 즉시 인정은 고사하고 타박이나 받지 않으면 다행인 심리적 충돌이 도사리고 있었다. 충동이 아니라 충돌, 최소한 두부 모서리 이상으로 단단한 어딘가를 들이받아 머리를 깨지 않고선 이해할 수 없고 이해하고 싶지 않은 어떤 기조와 태도들을, 그로부터 지나치게 오랜 세월이 지난 뒤에야 언어로 나타낼 수 있게 되리라는 걸, 그때의 나는 미처 몰랐다. 그것도 더듬더듬 드문드문, 부정확하고 비구체적인 지시대명사들을 동원해가면서.

더러워.

들릴락 말락 한 그 소리가 나도 모르게 내 입에서 새어나온 건 줄 알고 움찔했지만 짐짓 아무렇지 않은 양, 내 딴에는 곧 쇠스랑의 날이 제 목을 찌를 것을 예감한 혁명기의 몰락 왕비처럼 도도하게 턱을 든 채 책상 아래로 눈만 깔고 있었는데, 그렇게 나 아닌 척 꾸밀 필요가 없었다. 내 목소리가 아니었다.

더러워 씨.

이번에는 조금 더 선명히 들렸고 내 주위로 아이들이 서로의 얼굴을 쳐다보며 소리의 출처를 찾기 시작했다. 나도 나 아님을 어필한다고 일부러 눈을 둥그렇게 뜨며 어깨를 과장되게 으쓱하기까지 했다.

지금 말한 사람 일어난다.

담임이 몽둥이로 교탁 옆을 텅 치며 말했을 때 엉거주춤하지도 않고 꼿꼿이 일어난 사람은—나는 그 자태와 미모를 보곤 고작 내가 턱을 좀 높이 들었대서 혁명기의 왕비라니 어림도 없는 비유임을 깨달았다. 왕비는 그쪽이고 나는 잘해야 혁명기의 삯바느질 아낙 정도일 터였다—뜻밖에도 평소 공부를 잘하기는 물론, 씨……는커녕 된소리 자체와 인연이 없는 삶을 살 것 같은데다 무슨 외제 샴푸를 쓰는지 늘 좋은 냄새가 나고 머리나 옷 같은 외양도 엄마나 가정부 아줌마의 밀착 관리를 받는 티가 나는, 정말이지 내가 교사라도…… 설령 그 부모한테 뒤로 십 원 한 장 받은 적 없더라도 예뻐하지 않기가 힘들 K였다. 해서 담임도 당황했는지, 평소 같으면 일단 칠판 앞에 원산폭격부터 시키고 이유 불문 몽둥이나 휘둘렀을 것을, 이때는 갑자기 교육자처럼 반문했다.

뭐가 더럽나?

그냥요.

K가 그냥이라는 말로 얼버무리려 든 것을, 훗날의 나는 온 영혼을 다해 이해할 수 있었다. 일단 직관적으로 뱉어는 놨는데 구체적으로 설명해보라면, 그 더러움이 이유 없거나 더러움의 정체를 몰라서가 아니라 더러움을 효과적으로 표현하여 타인에게 설득시킬 말을 아직 다 배우지 못해서 말하기 어려울 나이였다.

더럽다고 네 입으로 그랬잖아. 이유가 있을 거 아니냐 말이야.

더러운 건 그냥 더러운 거예요.

응? 그러니까 목욕이 더럽나, 아니면 그전에 양말 빤스 손빨래가 더럽나, 뭐가 더럽나 말이야. 네 손 씻어놓은 물에다가 비누칠 좀더 해서 빨래하는 게 더러워? 네가 신은 거고 네가 입었다가 벗어놓은 게 더러우면, 세상 사람 다 땀흘리고 똥오줌 누고 사는데 여러분은 자기 몸이 더러워요?

뒷부분으로 접어들어 담임은 다른 아이들을 둘러보며 동의를 구하는 투로 물었다. 담임이 그나마 이렇게 교육적인 화법으로 말하는 걸 나는 이번 학기 들어 처음 보았는데, 아이들이 금방 대답하지 못하고 우물거리자 담임은 아니냐 다를까 대답을 재촉하듯 윽박질렀다.

응? 니들 몸이 더럽냐고. 왜 대답 못하나?

한번 물어서 (원하는) 답이 즉각 나오지 않을 때 공포심부터 조성하고 보는 방식은, 경청이나 배려 같은 교양을 배우지 않은 채로 나이들어버린 당시 가부장들의 공통 성향인가보았다. 만약 우리가 국민학교 고학년만 되었어도, 아이들에 대한 이해와 사랑을 소명으로 삼는 선생님을 만나기만 했더라도 상황에 맞는 대답은 너무 늦지 않게 나왔을지도. 이를테면 선생님, 제 몸이 더럽다는 게 아니라요, 사실 우리 몸 바깥으로 배출된 건 아무리 생각해도 청결과는 거리가 있지 않나요? 밀어낸 때, 파낸 코딱지, 뱉어낸 침, 가래, 구토, 먹고 소화된 찌꺼기를 다시 주워먹을 수 있나요? 예시가 잘못된 것 같은데요…… 혹은 그로부터 십 년 뒤의 나라면 조금 더 본질적인 대답을 했을지도, 사람은 태어난 이상 계속 더러워지게 마련이라고. 먼지, 박테리아, 바이러스, 생리작용의 무한 반복, 혈관에 쌓이는 지방, 뾰루지에서 터져나온 고름, 피, 딱지, 흉터, 색소침착, 그리고 무엇보다도…… 보고 들은 것들과 인간관계가 쌓이고 엉키면서 영혼이 총체적으로 더러워지는 게 당연한…… 그러나 교실의 침묵을 깨고 K가 입을 열었다.

빨래 말고 목욕이요.

응? 깨끗해지려고 씻는 건데 목욕이 우째 드러워?

어떻게 온 가족이 한번에 하냐고요, 더럽게.

그때 나는 K가 느낀 더러움의 포인트가, 비록 말로 설명하기는 어렵지만 나와 통하는 데가 있을지 모른다는 생각에 가슴이 뛰었다. K가 먼저 툭 내뱉지 않았더라면 저 자리에 서 있는 건 나일 수도 있었다.

가족이 몸 담근 물에 내가 같이 담그고, 어차피 똥꼬든 불알이든 거기 때가 붙었든 새카맣든 다 물로 비누로 씻겨내려가는데 뭐가 어때서?

그 무렵 연세 좀 드신 남자 교사들—가운데 특별히 품격 없으신 일부에 불과하며 하필이면 우리가 그 반에 걸려들었을 뿐이라고 믿고 싶은데—은 아무렇지도 않게 하반신 세부 명칭을 들먹이기가 일상다반사였고, 그맘때 아이들은 그걸 듣고 난감해하기보다는 차라리 그러기로 사회적 합의나 된 것처럼 단체로 웃음을 터뜨리곤 했다. 그 웃음소리 한가운데서 K는 더러움의 세목을 떠올리기라도 하듯이 눈살을 살짝 찌푸렸다.

공중목욕탕 가면 생판 모르는 남들하고도 한 욕탕에 들어가는데, 하물며 가족끼리 뭐가 어때서?

요지는 그게 아니지만 더 설명할 방법이 궁색하거나 의욕을 잃었다는 듯 K는 작게 한숨 쉬며 고개를 외로 꼬았다.

가족이 빨개벗고 정답게 등도 밀어주고 꼬추도 닦아주고, 어? 여러분 그런 거 부끄러워하면 안 돼. 낳아주신 엄마 아빠, 내 살과 피를 나눈 형이나 누나 동생, 이런 사람들을 더 가깝게 소중히 여겨야지. 가족은 내 모든 걸 내보일 수 있는 사람, 설사 공산당이

쳐들어와서 서울이 초토화되더라도 끝끼정 내 손 잡아주고 내 편이라 이 말이야. 알았나?

담임은 그로부터 이삼십 년 뒤에는 더이상 유효하지 않게 될 훈화를 동원하여 종례 시간을 되도록 건전한 방향으로 무마하려고 했는데, 마침 종이 울려서 몇몇 애들만 건성으로 네—하며 교실 밖으로 튀어나가기 위해 엉덩이를 들썩거리는 걸 보자 본인 성질을 못 이기고 다시 한번 힘주어 물었다.

알겠나!

네에에아악!

예순다섯 명이 비명에 가까운 소리로 합창하자 담임은 만족스러운 얼굴로 교탁을 떠났고, K도 새초롬한 표정 그대로 가방을 메곤 교실을 나갔다. 주번 명찰을 달고, 아무리 문질러도 분필 자국이 남는 칠판을 지우면서 나는 생각했다. K의 생각이 정말, 내 의견과 비슷한 게 맞을까? 보석이나 찻잔 정도를 만지고 사는 왕비가 견디기 어려운 더러움과 평민이 생각하는 더러움이, 온전히 같은 성분일 수 있을까?

1절까지만 했더라도 K는 그뒤로 딱히 이의를 제기하지 않았을 텐데, 담임은 이튿날 조례 때 카세트 데크를 교탁에 올려놓고 쐐기를 박았다. 재생 버튼을 누르자 테이프 필름이 늘어나서 가사를 알아듣기 힘든 노래가 흘러나왔다. 비두울기처럼 다아저엉한 사아람들…… 포오근한 사랑 여어어갈…… 집을…… 지어어……

그놈의 비둘기 왔다가도 도망가겠다. 담임은 우리에게 가족 사랑이 곧 나라 사랑이라며 노래를 다음 시간까지 외워 오라고 칠판에 가사 전문을 써내려갔고, 이어 사방에서 알림장 공책을 펼치고 필통을 여느라 부스럭거리는 소리가 났다. 그러나 내 머릿속에는 장미꽃 넝쿨이니 새들이 노래하는 옹달샘을 읊는 다정한 비유의 가사보다도 어제 담임이 했던 말만 메아리쳤다.

가족이 빨개벗고…… 정답게 꼬추도……

그때 K가 토했다. 엊저녁부터 쌓여 변이를 끝낸 무언가가 바닥에 퍼져나갔다. 우리가 학기 초에 단체로 엎드려서 열심히 왁스로 밀어 광을 낸 나무 바닥 틈마다 내용물이 끼어들어갔다. 저학년 교실에서 생리작용으로 실수하는 아이들은 종종 있어서, K의 입에서 나오는 게 뜻밖이었을 뿐 이는 그리 드문 풍경이라고는 할 수 없었다. 학생이 수업시간에 손을 들고 화장실에 가도 되느냐고 물었을 적에 왜 쉬는 시간에 진작 다녀오지 않았느냐며 담임의 귀싸대기 크리티컬 히트 스킬이 날아오지 않기 시작한 게—지금도 어느 초등학교에는 그런 사례가 있을지도 모르지, 내가 못 봤다고 없지는 않겠지, 세상에 존재하는 모든 것이 그러하듯이—, 어린이의 갑작스러운 생리작용이 인권의 일부로 용인된 게 언제부터일까? 이날 조례 때 생긴 일은 그것이 당연하지 않았던 날들 가운데 어느 아침의 모습이었다.

오랜 세월이 흐른 뒤—으레 그래야 하는 법이라고 사회가 규정한 대로 의심 없이 결혼도 하고 아이도 낳고 기르다 이혼도 하고 비로소 한갓진 날이 도래한 다음—나는 지나온 어떤 날의 장면을 떠올렸다. 내가 속옷과 양말이 든 배낭 하나만 메고 작은아빠네 집에 도착한 거의 사십 년 전의 어느 날이 어제 본 드라마처럼 선명했다. 세상만사 시름 따위 모르는 무풍지대의 쌍둥이들은 괴성을 지르며 소파 위를 뛰어다니고—그중 하나가 방심한 할아버지에게로 낙하하는 바람에 할아버지는 안방에서 앓고 계시는 중이었다—, 작은엄마는 이미 무덤에 묻힌 걸 도로 꺼내 와서 수수깡에 묶어 이 자리에 억지로 세워둔 것 같은 몰골이었음에도, 속으로 이를 악물고 있었는지 어쨌는지는 모를 일이지만 성스러운 미소로 나를 맞이했다. 그리고 내가 그들의 저녁 식탁에 함께 둘러앉을 자격을 취득하기 전, 일종의 입문식에 해당하는 세례식을 거행했다. 아이가 여기저기 쫓겨다니고 고생하는 동안 얼굴은 땟국에 절고 머리는 떡이 졌으니 목욕부터 하자는 것이었다.

이때 저 혼자서도 씻을 수 있다든가, 도와주지 않으셔도 된다는 어른스럽고도 새침한 거절을 무난하게 돌려 할 형편이 아니었는데, 경위 불문 그리 친하지 않은 친척집에 갑자기 토스된 아이는 그 집의 룰을 따라야 하고 그 집에 몸을 전적으로 맡김으로써 동정받을 만한 아이라는 인식을 주어야 한다는 것을, 그래서 그 집의 주인으로 하여금 가여운 아이에게 충분한 은혜를 적극적으로 베풀었다는 만족을 느끼게 할 필요가 있음을, 그 자리에서 바로 깨달았던 것이다. 버려진 아이는 울어야 하고 벌벌 떨어야 한다. 살아오면서 단 한 순간도 깃털 베개와 과일 향기와 햇빛에 둘러싸인 나날을 보낸 경험이 없는 어린 짐승이 지금은 당신의 도움을 필요로 하고 있다는 신호를 보내야 한다. 누가 가르쳐주지 않아도 나는 그걸 자연스럽게 알고 있었다.

그래, 목욕부터다, 좋은 생각이다, 하고 말하는 작은아빠와 할머니가 둘러서서 빤히 지켜보는 가운데, 어딘가로 장소를 옮겼으면 좋겠다는 작은 의지를 표명할 겨를도 없이, 작은엄마의 손에 의해 욕실 문 앞에서부터 몸에 붙은 모든 게 훌훌 떨어져나갔다. 마지막으로 팬티까지 벗겨지기가 무섭게 돌아서서 욕실 안으로 뛰어들어가다가 타일에 미끄러졌다. 저런! 아이구! 작은아빠와 할머니가 동시에 깜짝 놀라 외치는 소리가, 바닥에 큰대자로 나동그라져 활짝 펼쳐진 두 다리 사이로 떨어졌다. 하나도 급할 거 없는데 왜 서두르고 그러니. 괜찮니? 머리 안 부딪쳤니? 머리는 무사했고, 나는 꼬리뼈의 통증을 달래고 앉아 있을 만큼 한가롭지 않아서 난딱 몸을 일으켜 욕조 안으로 들어가 몸을 웅송그렸다. 작은엄마가 따라 들어와 욕실 문을 닫자 이윽고 밖에서 두 켤레의 슬리퍼 끄는 소리가 멀어져갔다. 작은엄마는 본인도 옷을 벗어 장 안에 넣어두고 샤워기를 틀어 내 머리 위로 물을 뿌렸다. 세상에, 이 때 좀 봐, 새카마네, 목욕을 며칠이나 못했을까, 나에게 묻는 건지 혼잣말인지 모를 말을 하면서 내 몸을 문질러대다가, 나를 조금 편하게 씻기기 위해 욕조 안으로 함께 들어왔다. 좀 일어나봐라, 얘, 구석구석 잘 씻어야지. 작은엄마 허리가 아프니까, 이렇게 쭈그리고 있으면 안 돼. 나는 몸을 일으켰고, 작은엄마의 출렁거리는 배나 가슴 그리고 그 아래를 들여다보지 않기 위해 눈을 감았다. 얘는, 여자끼린데 뭘 쑥스러워하고 그러니? 작은엄마는 웃으며 나를 더욱 끌어당겨 맨살을 밀착시켜서 비누칠을 했다. 내 다리 사이로 부드러운 스펀지가 밀려들어왔다. 여자는 여기를 잘 닦아야 해, 조심조심 살살, 소중한 데거든. 그렇다면 남자는 다리 사이를 대충 닦아도 되는가 같은 의문이 생겨나기 전에, 같은 여자라고 뭐든 다 되나? 처음 보는 사람 앞에서 옷을 막 벗어도 괜찮은가? 그것이 단지 욕탕이라는 이유로? 아이도 보고 싶지 않고 보여주고 싶지 않은 게 있다는 사실을, 어른들은 한마디로 가볍게 뭉개버렸다.

그때 우당탕 뛰는 소리가 나더니 쌍둥이가 욕실 문을 벌컥 열어젖히고 웃으며 뛰어들어왔다. 작은엄마가 소리쳤다. 어머, 너희 뭐하는 거야, 위험하게! 둘은 모두 나와 작은엄마처럼 옷을 벗고 있었다. 나는 자동반사로 욕조에 다시 옹송그리고 앉았다. 엄마, 우리도 할래, 목욕! 우리도 땀 흘렸어! 샤워 물살에다 여러 사람이 뿜어내는 입김으로 수증기가 차올랐다. 그럼 문 닫고 와, 추워. 작은엄마가 내 머리를 감기기 시작하면서 말했는데 그중 누구도 들은 척하지 않았다. 다만 엊그제 로봇 만화에 등장했을 법한 악당을 흉내내면서 입으로는 푸슈우웅 콰아아앙 지구를 손아귀에 넣으러 왔다…… 맛 좀 봐라…… 손으로는 미사일을 쏘는 척 활개를 휘저으며 서로 싸우는지 춤을 추는지 모르겠는데 그중 누군가의 손과 팔이 나와 작은엄마에게로 와서 부딪쳤다. 나는 몸이 흔들려서 타일 벽에 이마 옆을 찧었다. 작은엄마가 조금 역정을 냈다. 너희 정말 뭐하는 거야. 얌전히 있어야 씻겨주지. 여기 샤워기 앞에 와서 서! 작은엄마는 벽에 고정한 샤워기를 욕조 바깥에서 날뛰는 쌍둥이 쪽으로 돌려 물을 뿌리기 시작했고, 여전히 손은 샴푸 거품투성이였다. 그리고 그것만은 벌어지지 말았으면 하는 일이 기어이……

여보! 우리 문 좀 닫아주세요. 아이들 춥겠어요.

곧 슬리퍼를 끌고 온 작은아빠는 문 앞에 서서 조금 사이를 두었다가 자신의 아이들에게, 너희는 왜 들어가 있어, 누나랑 엄마 방해하면 안 돼, 같이 할 거야? 차례대로 해, 장난치지 말고, 넘어지면 머리 깨진다. 어허, 야, 너네 거기부터 잘 닦아, 오줌 누는 데부터…… 굳이 필요하지 않거나 중언부언에 가까운 말들을 남기곤 아주 느릿느릿, 마지막까지 안쪽을 들여다본 끝에 문을 닫았다. 쌍둥이는 미끄러지지도 않고 펄쩍펄쩍 잘도 뛰면서 머리 위로 떨어지는 물을 맞고 소리질렀다. 여기 너희 집인데, 목욕 처음 해보는 것도 아닐 거면서 뭐가 그리 신났는지 나는 알 바 아니라 자꾸만 구석으로, 모서리에 몸을 붙였다. 그러자 쌍둥이들이 넓어졌다고 신나서 욕조 안으로 들어왔다. 쏟아지는 괴성 사이로 그 아이들의 다리 사이에 달린 것이 덜렁덜렁…… 작은엄마네 욕조는 실로 광활했다. 아유 애들아 시끄러워! 조용히 해야 씻지, 소리가 얼마나 울리는데. 작은엄마는 샤워기를 끄고 두 아이를 스펀지로 문질렀다. 엄마 나 눈에 거푸우움! 하면서 한 놈이 소리를 질렀다. 저 먼저 나갈게요! 나도 지지 않고 소리 질러 의사표시를 확실히 하자 작은엄마의 목청도 따라서 커졌다. 너는 머리 헹궈야 하니까 조금만 더 기다려! 그 말에 나는 그 자리에서 도망칠 수도 없었다. 엄마 나 쉬! 한 놈이 욕조에서 나가더니 변기 뚜껑을 열고…… 다만 눈앞의 상황에 불필요한 반응을 하지 않기 위해, 나는 아무것도 못 보았다 못 들었다 아무것도 신경쓰이지 않는다…… 내 정신을 온전히 유지할 에너지를 비축하기 위해, 궁극적으로 나 자신을 아끼기 위해 나는 한없이 줄어들었으며, 나중 가서는 부피가 사라져 내가 거의 점이 되었다고 느낄 때쯤, 얘는 왜 자꾸 구석으로 가니? 가족인데 뭐가 어때서! 작은엄마가 팔을 휙 잡아당기자 또 한번 내 몸이 활짝, 원치 않는 방식으로 펼쳐졌다. 아이들은 물장구를 치며 소리 질렀다. 가족이니까 덜렁덜렁. 아무렇지도 않게 덜렁덜렁덜렁. 가족이 코앞에서 덜렁거렸다.

그런 어느 날의 장면에 대해, 나는 전남편은 물론이고 세상 누구에게도 얘기해본 적 없으며, 지금 눈앞에 있는 K에게도 마찬가지였다.

K에게는 다만, 오래전 유인물과 관련한 그런 일이 교실에서 있었는데 그때 당신이 일어서서 도도하게 이의를 제기하는 모습이 기억에 좋게 남았노라고 최소한으로 압축했다. 바로 이튿날 당신이 교실 바닥에 일을 냈다는 얘기는 꺼내지 않았다. 좋은 기억도 아닐뿐더러 그건 전날의 일과 상관없이 단지 음식이 얹혀 속이 부대낀 거였으니까. 나도 종종 그랬고 대체로 아이들은 소화기관이 덜 발달해서 자주 체하곤 했으니까. 더 나아가 K가 아닌 다른 누구였는데 너무 오랜 세월의 유탄을 맞은 내 머릿속에서 잘못 각색됐을지도 모르니까.

"그런 일도 있었어요? 워낙 옛날이라 하나도 모르겠네요. 기자님 기억력이 대단하세요. 그 와중에 좋게 봐주셨다니 그건 또 그거대로 기쁘고요."

"기억 못하시는데 괜한 소리를 한 것 같아 죄송해서 어쩌지요."

"아니에요, 무슨 말씀이세요. 이런 것도 인터뷰의 묘미인걸요. 이렇게 동창도 만나고 너무 뜻밖이라 반갑고요. 그런데도 제가 기억을 못하는 게 아쉽고 죄송하고."

"천만에요, 대표님이 저 모르시는 건 당연해요. 저는 눈에 하나도 안 띄는 아이였는걸요. 우리가 그뒤로 같은 반이 된 적도 없고, 중학교까지는 같았는데 고등학교는 갈렸고요."

"아, 웬만하면 그랬을 거예요. 저는 외고 갔거든요. 반에서 저 혼자였어요."

"맞아요. 결론은 제가 일방적으로 아는 사이, 그러니까 대표님은 그때 연예인 느낌이어서."

"인터뷰 끝났다고 이렇게 띄워주시나요. 저 다음 일정까지 삼십 분 정도 비어요. 기자님도 괜찮으시면 커피 한잔 더 하세요."

이제 언론사 소속이 아닌 프리랜서 입장으로 뭐든 일을 준다면 마다할 이유가 없던 참에, 지속 가능한 삶을 위한 친환경 토털 리빙 브랜드를 설립한 여성 스타트업 대표를 만나달라는 잡지사의 제안을 받았다. K의 이름 자체는 그렇게 드물거나 특이한 편이 아니어서, 처음 인터뷰 의뢰를 받았을 때는 설마 그 K일까 싶은 마음으로 수락했었다. 검색해본 얼굴은 세월이나 기술문명 어느 쪽인지 모를 이유로 기억과는 많이 다른데다 다소 몽환적인 느낌으로 필터 보정되어 긴가민가했지만 일단 나이가 나랑 같고, SNS 연결망을 따라가다보니 출신 고등학교를 파악할 수 있었다. 만나서 실제로 보니 얼굴에 예전의 윤곽이 남아 있었으며, 인터뷰를 거의 마쳐갈 즈음 제가 ○○ 국민학교 몇 년도 졸업생이라고 먼저 운을 띄워보자 K는 손뼉을 치며 어 저도! 하고 반응해 왔다. 포털 사이트에 대학교만 명기됐을 뿐이지 출신교를 숨기고 싶어하는 눈치는 없었고 나쁜 분위기 또한 아니어서 마침 인터뷰 내용과도 연결을 시켜본 것이다. 이것은 엠바고도 아닌 오프더레코드로서, 기자 개인의 생각으로는 대표님이 실천에 옮기는 이런 사업들이 이미 환경을 살린다는 건 불가능하고 지구가 죽어가는 속도를 일 초라도 늦춘다는 관점으로 접근해야 할 것 같은데, 떠올려보면 우리 어릴 적에 이런 유인물이 있었다…… 나는 그 일로 당신을 오래 기억했다.

"제 성격에 그렇게 말했을 것 같긴 해요, 그거. 지금 들어도 좀 아니다 싶거든요. 그런 항목이 누굴 위한 건지, 근데 그 시대에는 그랬을 법도 해요. 그게 지금 생각해보면…… 아마 그때 우리나라가, 일본 문화 개방은 안 하면서 교육 분위기는 일본식으로 가져가려는 경향이 있었지요."

"아, 기억나네요. 그 우리 왜 삼사학년 때였나, 교장 지시로 아이들을 죄다 십일월까지 반바지 입혀서 등교시켜라 했던 적도 있고요. 웬만큼 여유 있어서 철마다 애들 옷 바꿔주는 집이 아니면 애들이고 부모고 칠부니 무릎 기장이니 다양한 패션 같은 거 잘 모를 때, 아동복 반바지라 하면 보통 바싹 올라가서 허벅지 다 드러나는 걸로."

"맞아요, 그랬죠. 추위에 강해져야 한다면서. 사람 체질이 다 다른 걸 일괄적으로다가. 나중에야 그거 좀 군국주의 방식 아니었나 생각 들고. 그래서 온 가족이 목욕을 함께하라는 것도 어쩌면 일본식 목욕 설명을 그대로 고민 없이 옮겨놓은 게 아닌가…… 번역을 좀 잘못했다고 해야 할지. 거기선 아빠가 담근 물에 오빠 들어가고 그다음 동생 들어가고 순서대로 담갔다가 나오잖아요. 그래서 물 온도 유지한다고 욕조에 뚜껑 닫을 수도 있고."

"그런데 뭘 자꾸 아껴 쓰라는 데에만 혈안이 되어 있던 참에, 우리 학생들의 가정통신문에서는 그게 온 가족이 다 벗고 샤워기 아래 한 줄로 서서 물이나 맞고 나가라는 식의 얘기로 둔갑해버린 거군요."

"번역 실수일지도 모른다는 건 그냥 짐작일 뿐이에요. 진실은 뭐, 프라이버시라곤 인정 안 되는 훈련병 아이들더러 삼 분 안에 씻고 연병장으로 다시 튀어나오라고 닦달하는 그런 느낌 아니었을까요. 가정이나 학교나 할 거 없이 그냥 하나의 거대한 군대로 간주됐으니까."

"타국 문화의 오역보다는 뒤틀린 군대 문화 문제라는 말씀이신가요."

"아마도요. 그때 분위기에선 일상이고 당연했던 것들이 지금은 인권 침해고요. 에너지 절약하는 거 좋죠, 좋은 정도가 아니라 당연한걸요. 저도 설거지할 때 물이고 세제고 조금만 쓰려고 얼마나 노력하는데요. 우리 브랜드 콘셉트가 그쪽이기도 하고. 물론 예전과는 달리 지금은 한 방울씩 절약해서 부자 되자 같은 게 아니라 우리 다음 세대 환경을 위한 게 크죠. 그럼에도 불구하고 몸을 씻는 건 철저히 개인의 영역이에요. 수영장 탈의실이나 공중목욕탕은 대체로 같은 성별끼리 들어가고, 내가 원치 않으면 다시 안 만나도 되는 사람들이잖아요, 그 장소에 내가 안 가버리면 그만이니까. 하지만 가정에서는 그게 불가능하지요. 가정에서 그런 식으로 물 한 방울 아깝다고 성별과 연령이 뒤섞여서 단체 목욕을 강제 집행하면, 제 생각에는 반드시 거기서 소외되는…… 뭐라고 해야 하나, 문제가 되는 사람이 생겨요. 다 같이 옷을 입지 않은 무방비한 상태에서 가정 내 위계랄지 공평과 관련해서, 이걸 어떻게 설명해야 할지 좀 애매하긴 한데……"

"이해할 수 있어요. 저 그거 잘 알아요. 당해봤거든요."

내가 말꼬리를 채듯이 덥석 물고 대답하자 K는 약간 사이를 두고 나서 대꾸했다.

"어, 그래요? 음. 그런 거 있잖아요. 그렇죠?"

"맞아요. 딱히 뭔가 큰 사달이 나는 건 아닌데 왠지 모르게 이건 아니다 싶은 그거요."

"그래요, 그거. 표현이 잘 안 되고, 막상 말로 바깥으로 내버리면 대부분의 사람들, 특히 남자들이 뭘 그런 걸 갖고 그러느냐며 눈을 휘둥그레 뜨곤 도리어 이쪽을 이상한 사람 취급할 것만 같은 바로 그거."

우리는 구체적으로 무엇을 어떻게 말해야 하는지 모르겠는데 그 무엇의 성분이 비슷하다는 데에 합의하고 웃음을 터뜨렸다. 실은 서로를 전혀 모르며 서로의 인식 지형도가 비슷하지 않을 것도 염두에 두면서 비슷한 양 웃음으로 눙치고 넘어가도 되는, 우리는 그럴 만한 나이였다.

"아무튼 이건 우리 사담이니까, 아시죠?"

"그럼요, 당연하지요. 저만 알고 있겠습니다."

그렇게 말하며 나는 이만 자리를 정리하자는 표시로 숄더백을 어깨에 걸치고 테이블 위의 계산서를 집어들다가, 이어지는 K의 말에 멈칫했다.

"그런데 왜 기자님은."

"예?"

"나 생각해서 그러나. 그다음날 벌어진 일이 더 기억에 남았을 텐데요."

K가 무엇을 말하는지 나는 바로 어제 감리를 본 색교정지처럼 잘 알고 있었지만, 일부러 영문 모르겠다는 듯이 미소 지으며 눈을 맞추었다.

"그다음날 나 토했잖아."

"어, 그랬던가. 듣고 보니 그런 일도 있었던 것 같고요."

기억하는 주제에 모르는 척하긴 K도 처음부터 마찬가지였나보다. 아니면 얘기 나누던 중에 떠올랐거나……가 아니지, 자기한테 벌어진 일은 싫어도 기억나게 마련이지. 나도 그렇고. 그리 편리하게 지울 수 있다면 병원이나 약이 왜 필요하겠어.

"다음날 그 일은 다른 친구한테 생긴 걸로 헷갈렸나봐요. 그게 아니더라도 그 일이 오늘의 주제와는 상관없으니까요."

"그렇구나. 보통은 그런 걸로 생각하겠죠."

나는 말없이 계산을 치렀다. 인터뷰 전에 촬영 먼저 진행하고 포토그래퍼를 보내기 잘했다는 생각이 들었다. 하긴 포토그래퍼가 끝까지 붙어 있었다면 나는 애초에 그날 일을 언급하지 않았을지도 모른다.

"기자님이 겪어봤다가 아니라 당해봤다고 말씀하셔서, 나는 우리가 정확히 같은 감정을 공유하는 줄 알았거든요."

우리가 앞으로 다시 만나 술잔이라도 기울이며 되새길 추억이라곤 없었으므로, 나는 거기서 더 깊은 이야기로 이어지지 않도록 미소로 때울 뿐이었다.

현관을 열었을 때 한눈에 들어오는 거실에서 뒤엉켜 장난치는지 싸우는지 하던 안야와 재미가 문 앞으로 뛰어와 꼬리를 흔들었다.

"잘 놀았어?"

나는 아이들의 머리를 한 번씩 쓰다듬고 가방을 내려놓기 무섭게, 시간이 너무 늦어지면 아랫집에서 물소리로 불평할까봐 서둘러 목욕 준비를 했다.

몰티즈와 보더콜리 둘 다 워낙 순둥이로 개 짖는 소리 때문에 민원이 들어온 적은 아직 없지만, 두 마리를 함께 산책이라도 데리고 나가면 어김없이 들려오는 소리가 있었다. 젊은 처자가 애를 낳고 키워야지 요즘 죄다 개만 키우네. 아들은 군대 갔고 삼 년 뒤면 내가 오십인데 차림이나 몸만 보고 젊은 처자라 하니 그건 반가워해야 할 일……이 아니라 그간 겪어온 바에 따른 결론은, 얼굴로 나이를 선뜻 짐작하기 힘든 초면의 여자가 금색에 가까운 머리채를 휘날리며 아이, 남편, 부모, 혹은 동네 학부모들 등의 일행이 없이 단출하게 반려동물만 데리고 다니는 경우, 어르신들—어르신도 있긴 했으나 그들 가운데는 막상 민증을 까보자고 할 것 같으면 나보다 어리다는 데에 판돈을 걸어도 좋을 남성들도 있었다—은 결혼 적령기가 지난 독신 여성으로 넘겨짚곤 하는 것이었다. 애를 키워야지 왜 개를 키워. 그 간단한 말에는 명료한 함의가 있었다. 우리는 애새끼를 치고 노부모를 봉양하고 평생 가족을 위해 희생했는데 너는 왜 그 노동에서 이탈하여 한가로이 개새끼나 돌보고 있느냐.

예전 같으면 나는 애도 낳았고 남편도 있었으며 지금은 이 아이들이 가족이니 참견하지 말라고 일일이 반박한 다음, 뒤이어 어떻게 인간도 아닌 게 가족이 되느냐는 시비를 걸어오는 데에도 상대해주었지만, 이제는 육체적 정신적 에너지를 절약하기 위해 못 들은 척하고 지나쳤다. 그들 대부분은 정말 개가 가족이 될 수 없다고 굳게 믿어서가 아니라, 가족을 위해 전적으로 희생했다는 징표가 없는 여자에게 불만이 있을 뿐이었다. 오래전 『의식 개혁 운동』의 한 페이지에 절반 가까운 컷으로 등장한 부지런한 어머니. 앞치마를 두르고 얼굴 아닌 뒷모습으로만 등장하여 가족을 위한 식사를 준비하는 어머니. 그리하여 거듭된 출산과 오랜 노동으로 자신을 돌볼 틈은 없이 비교적 이르게 허리가 굽거나 손가락이 뒤틀린, 하여간 어딘가 움직임이 썩 원활하지 않거나 자식이 안쓰러움의 대상으로 여겨야 마땅할 어머니의 이미지 말이다.

"안야, 재미! 들어와."

안야는 매사 순순하고 무던하나 재미는 목욕을 싫어하는 편이라 욕실에서 약간 반항하곤 했다. 재미를 한번 씻기려면 샤워기가 뒤집히며 벽과 거울에 물이 튀는 건 말할 것도 없고 나도 온몸에 물을 뒤집어쓰기 일쑤였는데, 흠뻑 젖은 옷의 무게를 더 견디기 어렵다고 느낀 어느 날 나도 옷부터 벗어놓고 씻기기 시작했다. 사람과 개가 함께 샤워를 하면 괜찮을까 조심스럽기도 했고 다니는 동물병원에서도 면역 체계가 서로 다르니 아무 문제 없지만 굳이 그럴 거 있느냐는 뉘앙스로 말하긴 했는데, 외국 사람들의 블로그를 보면 반려견과 함께 목욕한다는 사람들이 종종 눈에 띄어서 에라 모르겠다는 마음으로 그대로 계속해온 것이다.

재미가 고개를 좌우로 흔들자 물보라가 내 얼굴을 때리고 개 전용 샴푸 거품이 눈에 튀었다. 눈을 감은 동안 다리에 비벼오는 젖은 털이 재미인지 안야인지 순간 헛갈렸다. 개 두 마리를 씻기는데 한 마리만 날뛰어도 이렇게 품이 드니, 작은엄마는 어떻게 그 떠드는 아이들을 셋이나…… 나는 그뒤로 그 집 아이들과 한 욕실에 들어가는 것이 일종의 패턴으로 자리잡지 않도록, 혼자 욕실을 확보할 수 있도록 나도 모르는 사이에 부단히 노력했을 것이다. 식구가 많다보면 그도 뜻대로 되지 않아 자주 실패하고, 오랫동안 씻지 못한 채로 나날을 건너뛴 적도 있을 것이다. 어느 날 내 몸에서 간장냄새가 나기 시작한 걸 알아차린 작은엄마가 다시 나를 붙들고 벗겨서 욕실로 들어갔을 것이다. 한 살을 더 먹은 그 아들들이 약을 올리며 손가락질했을 것이다. 할아버지는 와병중이었고, 할머니는 어떻게 된 게 계집아가, 계집아가 우째, 같은 말만 반복했을 것이며, 그리고 작은아빠는.

아무래도 기억나지 않는다. 아이러니하게도 나는, 나 혼자 살게 되면서 전보다 더욱 박박 문질러 씻고 청결해졌으며 몸에서 항상 향기가 났을 것이다. 욕조에 혼자 들어가 손발이 쪼글쪼글해지고 물이 차갑게 식을 때까지 콧노래를 흥얼거렸을 것이다. 결혼해서는 남편과도 반드시 어둠 속에서만 옷을 벗고, 한 욕실 안에 들어간 적은 없을 것이다. 아기가 얼마나 내려왔는지 본다고 병원 안의 거의 모든 의료진이 오며가며 밝은 조명 아래서 내 몸속에 한번씩 손가락을 찌를 때마다, 오로지 분노할 에너지를 아껴서 내 형태를 보존하기 위해 무언가 치밀어오르는 것을 내리눌렀을 것이다. 아기가 자라서 어린이가 될 때까지, 입은 옷이 아무리 무겁게 젖어도 아이만을 씻길 뿐 한 욕실 안에서 벗거나 아이와 한 욕조 안에 입수한 적은 없을 것이다.

또다시 아이러니하게도, 이제는 개들 앞에서 옷을 벗는다. 목욕은 온 가족이 한 번에 하라는 절약 지침을, 나는 이렇게 오랜 세월이 흐른 뒤에야 실천에 옮기고 있었다. 그러나 아무리 내가 이런 식으로 물을 아낀다고 해보았자 진정으로 지구의 에너지를 아끼고 싶다면 사람부터 없어지고 개와 고양이만 남아야 하는데, 그러지 못하고 내가 살아 있어서, 이런 지구에서 결혼도 해보고 아이도 낳아버려서, 나는 이 목숨으로 에너지를 낭비하고 있었다.

나는 아무것도 듣지 못했다. K가 차에 타기 전에 남긴 말을 듣지 못했다. 그 시기에 엄마는 외삼촌의 집에 가 있었고 나중에는 아버지가 땡전 한 푼 주지 않고 엄마를 쫓아낸 거라는 사실을 알게 됐고 내가 사는 집에는 아빠와 오빠가 있었어요. 여자는 구석구석 깨끗이 씻어야 한다고, 그 나이에 혼자서는 어렵다고 했어요…… 나는 K가 토한 이유를 듣지 못했고 지금도 알지 못한다. 비둘기처럼 다정한 가족은 포근한 둥지를 짓는다, 가족은 그래도 된다, 가족인데 뭐 어때서, 가족은 이왕 생겨났으니까 함께 에너지 절약 공동체를 만들어야 한다. 이제 세상의 똑똑하고 젊은 사람들은 더는 그런 의미로 가족 따위 만들고 싶어하지 않는데도, 다른 무엇보다 그것이 자신의 에너지를, 나아가 섬멸이라고 보아야 할 인류 절멸을 통해 지구의 에너지를 아끼는 방법임을 닦은 거울 들여다보듯 알고 있는데도, 세상은 자꾸만 새끼를 깔 수 있는 형태의 가족을 만들라고 한다, 꾸역꾸역꾸역. 그러고 보니 비둘기 울음소리 같지 않은가, 꾸역꾸역꾸역.

# Q의 진혼

웬만큼, 적중, 정성, 갈수록, 만나, 성의, 두고 봐, 내놔, 당연하지, 끝내자, 씹네, 기다려, 갚아, 별로, 글쎄, 아무것도, 자니, 잔다, 깨워, 안건, 계약, 파기, 고소, 콩밥, 구매, 의향, 가격, 네고, 가능, 생각, 도망, 불가능 사이에서 1은 부유한다. 수신자의 마음을 어루만지거나 그의 통점을 건드려야만 했던, 나아가 그의 결단이나 행동을 유발해야만 했던, 그러기를 실패한 말의 미세微細 입자, 어쩌면 미시微視 입자, 그보다 미시未視 입자들이 부유하는 세계에서 1은 순행한다. 아니 역행한다. 역류한다. 표류한다. 전도된다. 회전한다. 출렁인다. 점멸한다. 주체 뒤에 그 어떤 자동사를 이어도 무방한 공간. 목적어 없이 임의의 타동사를 붙인대도 성립 가능한. 이곳이 어딘지에 대한 정보는 1에게 거의 없고 상상과 추측

그리고 분석에 의존해야 하며, 자신이 어디서 왔는지 어디로 가려다 말았는지 알지 못하나, 반드시 어딘가에 혹은 무언가에 들러붙어야만 제 의미와 기능을…… 무엇보다 형태를 갖는 존재라는 사실만은, 태초부터의 섭리라도 되는 듯 선명히 인지하고 있다.

1은 어디 붙어 있다가 이리로 추락했는가. 그것의 위치에 따라 역할과 질량과 농도와 크기와 무게와 거리와 중요성…… 뭐가 됐든 달라진다. 단지 자신의 선 자리를 바꾸는 그 행위가 화합을 유도하거나 반대로 불화와 반목을 일으키고 중독과 해독을 오가며 기대와 낙망을, 안전 범위와 치사량을 가른다. 1은 100,000,000의 맨 앞자리를 차지했을지 모르고 531이나 21의 뒷자리에 위태롭게 매달려 있다가 떨어져나왔을 수도 있는데 1은 자신이 무엇이며 무엇을 나타내는지 모른다. 덧그리지 않아도 되었던 무늬, 미처 감추지 못한 수치의 얼룩, 결락된 시간의 등을 할퀴고 지나간 찰과상, 달구어진 화저火箸를 부주의하게 떨어뜨린 열상熱傷. 무엇이든 될 수 있지만 지금의 1은 출처 불분명의 자극과 압박으로 인한 흔적에 불과하다. 다른 것과 만나 발효하거나 훈연되기 전까지, 그리하여 질량과 에너지를 가진 무언가가 되기 전까지, 흔적은 무수한 겹의 누적에도 불구하고 의미를 갖지 못한다.

메시지를 받으셨나요? 대답이 없으셔서요. 확인차 다시.

(캡처)(전송)

어제 오후 2시 20분에 이 화면에 보이는 내용 그대로 보내드렸어요. 지금은 오전 11시 15분입니다.

역시 그랬군요. 어쩐지, 그럴 분이 아닌데 이상하다 싶었어요. 매사 칼 같으셨으니까요. 이쪽에서 추가 요청을 드리지 않더라도 수신 즉시 피드백을 주시곤 했지요. 어쩌면 제가 무언가를 제안하거나 문의하기도 전에, 심지어 당신과 내가 세상에 존재하기도 전에, 그에 대한 대답이 준비되어 있기나 한 것처럼요.

(필요하고 유익하며 직입하는 말들을 정확하게 주고받은 뒤)

(소음과 고요가 교차하다)

그러면

당신에게 도착하지 않은 생각과 말과 행위는 지금…… 어디에 있는 걸까요?

내 손을 떠나서 어딘가로, 많은 죄를 지으러 간 걸까요?*

몸 밖으로 나온 것 가운데 죄 아닌 것들이 없다.

죄의 자리에 거짓이나 오류나 실패를 넣어도 성립한다.

---

* 가톨릭의 고백 기도문 인용. "생각과 말과 행위로 많은 죄를 지었으며 자주 의무를 소홀히 하였나이다(quia peccavi nimis cogitatione, verbo, opere, et omissione)."

자신이 세상에 존재하거나 조합할 수 있는 모든 부정명사의 조박糟粕일지도 모른다는 짐작이, 1의 신경망을 따라 흐른다.

통로와 구획은 없고 다만 빛과 어둠이 격자무늬로 톡배게 짜인 공간이 촛농처럼 흘러내리며 모습을 바꾼다. 그러나 모습이 바뀐다거나 모습을 잃는다거나 하는 일은 왜상 이전의 원형이 존재함을 전제로 하므로, 이곳을 가리켜 모습이 있다고 하기도 어딘가 부적절하다. 현재 모습이라고 여겨지는 것은 사물과 사태가 있는 공간을 모습模襲한 데 불과하다. 습. 스읍. 1은 호흡한다. 1이 삼켜진 고래 뱃속과 같은 세계에서 호흡은 실재의 기관을 통해 이루어지는 행위가 아니나 1은 태어나기 이전부터도 그것이 호흡임을 알고 있다. 호흡은 공기를 포옹하기. 밀어내기. 스으읍. 습. 진공 속에서 이루어지는 호흡이란 적막이 반복적으로 토해내는 리듬 같은 것. 습. 사람들이 저마다의 형편 따라 설정한 데이터의 용량을 신경써가면서 전송하기에는 부적합한 글자라고 여겨질 만큼 습에는 많은 의미가 있다. 코를 골며 잠든 적군을 급습하거나 기습. 무비판 무저항으로 예전의 풍속을 그대로 답습하는 인습. 살림살이의 한 벌을 통틀어 일습. 불길한 예감이 스멀스멀 엄습. 시신을 염습. 동일한 형상을 지닌 문자도 상황과 경우에 따라 의미가 달라지는데, 하물며 삽. 솝. 십. 한 개의 점이나 획으로 형상이 조금씩 바뀌기라도 한다면. 의미의 접합부는 부서질 것이다. 팽창하다가 혼미해진 의미가 어디로, 누구를 향해 가야 할지 잊고서 헛도는 나침반의 자침이 될 것이다. 의미는 지난 세기의 고철 더미에서 떨어져나온 한 개의 녹슨 나사에 다름 아니며, 종내 무의미를 가리키는 다른 이름이 될 것이다. 그럼에도 불구하고 사람들은 전체 형태를 지각하고 조직하는 의식 구조화의 역량으로 인해 대체로 실패 없이 의미를 파악한다. 손아귀에 움켜쥔 의미가 손가락 사이로 빠져나간다. 그러므로 의미를 곡해한다. 의미는 전소한다. 1은 의미가 전소한 자리에 남은 한 줌의…… 한 점의 재다. 바람에 실려 어딘가에 불시착하고 꺼져가는 불티다. 무엇이든 될 수 있는 동시에 무엇도 될 수 없는 1은 부유하는 동안 무엇이든 보면서 아무것도 볼 수 없다. 1은 여기 있으나 여기 속해 있는 것도 아니며 여기가 자신의 것도 아닌데 그 이전에 여기를 여기라고 칭해도 무방한지를 알 수 없다.

마법사가 어떤 중요한 주문을 외다가 바람이나 불길, 외침外侵 등 여러 난입 가능한 요소들에 의해 의식이 방해받아 무언가를 소환하던 도중 중단되었다고 가정해보라. 그때 제단 위에 놓인 형상이 어떠할 것인지. 여기는 취소 버튼이 눌렸거나, 그보다는 다른 알 수 없는 오류로 본연의 형태와 의미를 갖는 데 실패한, 1과 같은 의식의 입자들이 떠다니는 공간이다. 사람들이 쓰고 버린, 혹은 쓰지 못하고 단념한 세계. 누군가에게 채굴되지 않을 폐광. 철거 외에는 답이 없는 폐가. 세월의 더께가 앉은 그대로 언제까지고 펼쳐지지 않을 책의 한 페이지. 텅 빈 동시에 오감으로 식별 불가한 존재들이 가득한 터. 클라인의 병에 담겨 떠도는 1. 펜로즈의 계단을 따라 무한히 상승도 하강도 하지 못하는 1. 앞과 뒤, 안과 겉, 시작과 끝이 구별되지 않으며, 사방으로 열려 있으나 입구도 출구도 없는 공간에 무슨 수로 무언가가 계속 들어오고 빠져나가기. 어딘가로 들어간 듯하나 알고 보면 자신의 안으로 들어갔을 뿐인, 스스로 마트료시카 인형이 되어 자기 자신에게서 빠져-나오고-들어가기를 반복하기. 자신이 그릇이자 껍질이며 내용물이 되는 토포스. 부피와 높이와 깊이를 갖지 못하여 원근법이 무시되고 소실점이 없는 세계, 닫히지 않는 평면들 사이 무한원점과 폐곡선과 개곡선開曲線과 등고선의 난무장. 그럼에도 그 공간은 빛으로 가득하고 빛에 의존하며 탄생할 적부터 빛을 기반으로 성립되었다는 아이러니. 빛은 우주의 분열 세포이자 신이 인간에게 지급한 최초의 자본. 빛이 있으라 하시니 빛이 있었고 그 빛이 보시기에 좋았더라. 사람들의 세계에서는 빛의 거소에서 퇴출된 뒤 안식을 찾지 못한 존재들을 가리켜 구천을 떠돈다고 한다. 구천九天은 가장 높은 하늘을 가리키나 구천九泉은 땅속 심부를 일컬으며 죽음 이후 많은 자들이 하늘보다는 땅속을 헤맨다. 1이 흐르는 공간 역시 둘 중 무언가의 구천일 것이다. 무한의 가능이 쌓여 불가능을 이룬 세계. 대개는 원인 불명의 에러로 인해, 때로는 돌발적인 단전斷電과 암전暗轉의 순간 죽은 정보들의 하치장. 원칙이 사라진.

규정이 깨어진. 누락과 나락의. 때로는 추락의. 유용성을 상실한. 불활성의. 1은 흐른다.

혼몽간에. 혼몽의 포말을 헤치고. 자신이 무엇인지/무엇이었는지/무엇일지를 알고자 하는 마음이 부풀어오름을 모르는 체하며. 무엇이라는 질문이 자신의 목을 칼끝으로 겨누어오지 않도록, 그 질문 자체가 무념무상의 일부나 되는 듯이. 흐른다는 동작도 눈으로 보거나 손으로 짚을 수 있는 궤적과 무관하게 이루어진다. 촉감이나 냄새가 들린다는 것과 유사하다. 혹은 소리를 본다거나. 소리를 봄은, 거울 없는 곳—거울 이전에 상을 반사할 빛이 존재하지 않는 곳에서 자신의 정수리나 뒤통수를 보는 것과 같다.

찰나마다 각지에서 동시다발로 발생하는 전송 행위의 잔여들. 이탈. 탈루. 탈선된 의도들. 탈주한 의미들. 의미에 어설피 감염되다 말아버린 기호들. 전달은 그것이 도착해야 할 자리에 무사히 가닿았음을 표시하나, 전송은 반드시 그렇지 않다. 보낸 신호가 목적지에 매번 틀림없이 도달하리라는 법은 없다. 쏟아지는 총알 가운데 한 발이 포니 익스프레스 배달부의 귀를 날린다. 메신저 백에 구멍이 뚫린다. 찢어진 가방에서 쏟아진 메시지들이 비둘기처럼 푸드덕거리며 모래바람 속에서 춤춘다. 나무 뒤에 은신한 배달부가 탄환을 장전하고 반격의 기회를 엿보는 동안, 아군을 대비시킬 메시지보다 먼저 적군의 함성과 북소리가 몰려온다.

때로 어떤 발신자는 고의로 한 획을 감추거나 획마다 분리 나열하여 의미를 감춘다. 그 과정에서 1은 떨어져나왔을지도 모른다. 1은 국가의 중요 암호의 일부였을지도. 폴리비오스의 치환에 따라 a의 자리를 대체하는 1이었을지도. 혹은 스키테일을 감은 양피지 끈 안에 기입된 서로만의 약속. 어쩌면 히브리문자를 대신하여 신의 비의秘義를 지켜내고자 하는 게마트리아. 나라의 운명을 결정하거나 뒤집을 침습侵襲에의 명령을 그 기호 안에 품었을지도. ……-ㄹ지도. 미정, 지연, 유예의 조사가 붙어 고요한 침습浸濕의 방식으로 타인의 의식을 점유해나가는 메시지의 한 단락이었을지도. 지금은 누구도 아닌 존재가 되어 어디도 아닌 공간을 떠도는 기호. 뒤틀린, 할퀴어진, 찢긴, 광대무변의, 부드러운, 걸쭉한, 깔끔거리는, 무색의, 무미의, 무취의, 무성의, 모두에게 속해 있으면서 모두가 여기에 속한, 누구도 실제로 감관을 통해 관찰한 적은 없는 공간 속에서, 서로 다른 1과 0이 만나 이룬 정보들이, 빛나는 줄에서 미끄러진 광대들처럼 낙하하여 산산이 부서지고 구천을 떠돈다. 줄을 벗어난 광대를 기다리는 것은 죽음 내지 부상, 그 이전에 절대적인 무의미.

1은 생각한다. 이곳에서 0과 만나 결합할 수만 있다면. 관계 맺을 수 있다면. 얽힘으로써 서로의 존재를 몇 번이나 되짚을 수 있다면. 벽에 묻은 얼룩과 같은 기호라도 순식간에 벽에서 떨어져나와 도약할 것 같다. 의미를 낳게 될 것만 같다. 0. 1. 11100100.

000001010100. 반드시 0이 아니라도 좋다. 또하나의 1을 만날 수 있다면 그것만으로도 안도할 수 있다. 그러나 0은 세상에 존재하지 않으니까 0. 1은 세상에 단 하나뿐이니까 1. 1이 0을 만나 인승한 결과는 무효나 원점, 폐기의 다른 이름. 1이 또다른 1을 만나 인승한대도 시시포스의 반복. 허기가 뱃속을 가득 채우는 아이러니와 마찬가지로, 이 공간은 무한한 없음과 수많은 유일함으로 충만할 것이다, 1ppm의 자리도 차지하지 않는 어둑서니들로.

의도로 가득하나 의도를 구성하지 못한 파편들, 이 탈락자들, 민첩하지 않고 운도 없으며 타자와의 관계나 위상을 정립하는 데 도움되지 않는 비실용적인 도편陶片들은, 예를 들어 한때의 스테가노그래피. 머리카락을 잘라나간다. 검은 베일과도 같은 머리카락을 깨끗이 밀어버린다. 희고 둥근 정수리에 새겨진 비밀의 메시지가 드러난다. 그러나 이는 레드 헤링이다. 혹시라도 적국에서 이걸 보게 된다면 대오를 갖추거나 반대로 철수시키는 패착을 저지르도록. 진짜 메시지는 파발꾼의 입속에. 혀에 기입되어 있다. 붓 끝에 안료를 적셔 기록하면 입천장에 닿아 지워지기에, 말 그대로 끌로 새겨넣은 흔적이다. 우방의 군주는 그의 혀를 길게 뽑아 메시지를 확인한 뒤 또다른 누군가가 볼 수 없도록 그것을 잘라버린다.

소용을 다하거나 버려져 죽은 정보들의 납골당은 무한히 광대한가?

그것은 인세에서라면 인간의 시신을 어떤 의례로 처리하고 무슨 운송 수단을 이용하여 각자가 믿는 세상에 보낼 것인가 하는 문제와 닮아 있다. 인간은 시신을 매장. 임장. 노장路葬. 화장. 풍장. 수장. 조장. 수목장. 허장虛葬. 암장. 증장蒸葬. 떠난 영혼을 어떤 문체로 공간에 기입할 것인가의 문제. 이때 잊지 말아야 할 궁극적인 목적은, 자연을 위해서가 아니라 살아 있는 인간의 가용범위를 확보하기 위해서. 시신이 너무 많은 자리를 차지하지 않도록. 그들 세계에 휴한지가 저리도 많은데. 인간은 갈수록 태어나지 않고 있으며, 죽은 인간과 죽어가는 인간이 지금 이 순간 더 많은데. 죽은 이들에게 마땅히 더 많은 공간을 내주어야 하지 않나. 어떤 결정은 죽은/죽어가는 자들의 몫이 아니기에. 살아 있다는 이유로 비강에서 썩어가는 모든 오늘을 탕진하는 인간의 시야각 범위 내에, 아브젝시옹이 창궐하지 않도록. 가능한 한 눈앞에서 치워야 한다. 처음부터 없었다는 듯이. 시취도 체액도 벌레도 보이지 않도록. 물소가죽 소파 86인치 LED 티브이 아르누보 스타일의 장식장과 탁자들로 구축한 저택의 거실 한가운데에 하수 처리장을 들여놓지 않는 것처럼. 어떤 낱낱의 죽음은 우발이며 때로는 오류, 자연의 출력 에러에 해당하거나 인간이 발명해버린 것이지만, 일반적으로 시신은 섭리다. 죽음이 없는 완전한 삶은 존재하지 않으며 죽음이 없다고 하여 완전한 삶이 되는 것 또한 아닐뿐더러 오히려 죽음이 없이는 완전한 삶도 존재하지 않는다. What hath God wrought. 이는 도트와 대시로 이루어진 인류 최초의 원거리 발신 메시지. 1은 대시를 닮았다. 1은 자신이 대시일지도 모른다고 생각한다. 대시인데 자꾸만 흘러 뒤집혀 굴러 또 흘러 어느새. 중심 없는 세계에서 목표물도 기준도 없이 선회하기. 어디에도 좌표를 찍을 수 없는 세계에서 1은 취설吹雪처럼 혹은 취설醉雪처럼 흐른다. 굽이치고 요동치고 소스라친다.

1이 흐르는 이 공간에는 이름이 붙지 않았다. 똑같이 빛으로 빚어진 세계, 빛에 빚지는 세계임에도 불구하고 목적지에 무사히 전달된 데이터를 제외하고 남은 것들이 모인 자리란, 자신의 정당한 주소를 얻기까지 오랜 시간이 드는 법. 유효한 의미를 갖고 도착한 데이터는 인간이 기꺼이 저장하여 디스크의 섹터를 차지하고 거기 안착한다. 그러나 이곳은 선택받지 못한, 저장되지 않은, 분명 발신자를 떠났으나 수신자에게는 닿지 못하고 도중에 행방불명된 데이터가 떠도는 곳이다. 빛에서 비롯한 어둠의 장소. 찰나의 무수한 조우와 연계를 통해 분열하고 증식하며 만화경 속에 펼쳐진 셀룰로이드의 색편色片들처럼 무작위 조합 및 변형되다가 끝내 와해되기를 거듭하는, 그리하여 형태와 부피와 깊이를 갖지 못하는, 상하도 차원도 없는 등방성의 펼쳐짐. 세계점과 세계선이 경로를 잃고 광원뿔의 바깥으로 돌출하는 공간. 1과 같이 원래의 목적에서 퇴출당한 데이터가 이만한 규모로 흘러다니는데도 여기가 애초에 어떻게 생겨난 곳인지 알 수 없다. 인간들의 세계로 치자면, 구천이 어쩌다 생겨났는지 구천을 누가 제작했는지 상상만 해볼 뿐이며 실은 구천이 정말로 있기나 한지부터 논란의 여지가 있음과 마찬가지다. 1에게는 실체로 존재하나, 1을 떠나보내고 잊은 이들에게는 상상으로도 존재하지 않는 장소.

저의 서버에는 분명 메일을 보낸 내역이 남아 있는데요…… 임시 저장이 아니에요. 보낸 메일함에 있어요. 전송 취소도 하지 않았어요. 상대방의 주소 오류나 서버 오류의 흔적도 없어요. 그런 이유라면 딜리버리 페일 메시지가 오거나 통째로 반송된다고요. 오로지 수신 확인 표시만 뜨지 않아요. 스팸 메일 쪽을 열어보시겠어요? 거기에도 없다는 말씀이시지요. 이런. 그러면 이건 어느 바다에 가라앉았을까. 어느 우주를 떠돌고 있을까. 보낸 사람은 있는데 받은 사람은 없는 메시지. 대부분의 사람들은 귀신이 곡할 노릇 정도로 치부하여 이내 망각의 화로에 던져넣고 마는. 주소의 스펠링과 넘버링과 기호를 한 글자씩 대조해보나, 역시 그동안 매번 중요 정보나 거래 협약을 주고받은 곳이라 자동 저장된 주소는 정확하다. 다시 보내드릴게요. 혹시 모르니 또다른 주소도 알려주세요. 두 군데 모두 열어봐주세요. 그 어떤 정전도 사고도 군사적 목적의 전파 방해도(과연?) 없었으나 목적지까지의 선로가 끊기고 자취를 감춘 신호들은 어디로 가서 어떻게 떠도는지, 모두가 그것을 궁금해하지는 않는다.

귀신이 곡할 노릇. 귀신이 도중에 낚아채어 데려갔나봐. 데려가거나 말거나 귀신은 대체로 현세에 영향을 미치지 못하니, 귀신이 거하는 장소에 대해 고찰해보았자 시간 낭비다. 인간이 구조물로 구획 짓지 않은 태초의 공간은 신의 영역이어서, 그것의 무한함과 불가해함을 비롯하여 총체적 수습 불가능의 속성 자체가 그곳이 지닌 고유한 규칙이라고 보아야 할 것이다. Spatium est ordo coexistendi.* 지금의 이 체계 없는 유동을 공존의 한 형태로 볼 수 있을까? 여기를 공간이라고 일컬을 수 있을까? 최소한 이런 장소를 인간들의 세상이 달가워하지 않으리라는 것만은 알 수 있다. 그들은 눈에 보이지 않는 것, 만져지지 않는 것이 자리를 차지하는 것을 견디지 못한다. 물론 그보다 더 견디지 못하는 것은, 이상한 것이 자리를 차지하는 것이다. 도움이 안 되는데 심지어 느긋하면서 전진의 경로까지 방해하는 것. 디미누엔도 포코 아 포코…… 같은 한가로운 기호는 잠깐의 여흥이 아니고서야 인간의 삶에 불필요하다. 어디까지나 포르테, 포르티시모, 포르티시시모!

그러므로 인간은 귀신을 죽인다. 무해한 표정으로 심상한 제스처를 동원하여 죽인다. 귀신이 된 데이터는 인간의 의식 속에서

---

* "공간은 공존하는 것들의 질서다." 고트프리트 라이프니츠의 논고 〈사물의 수학적 형이상학의 제일원리(Initia rerum mathematicarum Metaphysica)〉(1715) 속의 한 구절.

압사. 아사. 실족사. 비명횡사. 액사. 동사. 소사燒死. 이 데이터는 실재의 전산망에서 떨어져나온 돌연사의 결과물. 의식의 변사체.

의미로부터 뜯겨나간 데이터, 찢기고 잘리고 구멍난, 수신자에게 닿지 못하고 소리 없는 비명에 스러진, 방대한 분량으로 축적된 비정상적인 데이터를 천도해야 한다는 발의가 나온다.

발안 자체는 낯설거나 뜻밖의 일이 아니다. 자연을 벗하는 어떤 민족은 톱으로 생명줄을 끊어내어 집을 짓는 데 사용한 나무토막이나 길가의 돌멩이 한 개에도 영혼이 깃들었다고 여긴다. 부엌의 돌절구나 무쇠솥, 맷돌이며 숟가락 하나하나에 부뚜막의 신이 붙어 있다고도 한다. 합리에 종속되어 그런 신앙의 시대로부터 떠난 뒤에도, 어떤 이들은 부품 수명이 다한 로봇 강아지를 위해 전통적인 형식을 갖추어 장례를 치러준다. 반드시 신비주의나 여하한 믿음을 갖지 않더라도 인간들은 애초에 자기본위로, 자기 마음 편해지려고 들면 뭐든지 할 수 있다. 귀신에게 식사를 대접한다든지 돌덩이에 이름을 붙이고 인격을 부여하며 돌봐준다든지, 헝겊 쪼가리에 불과한 인형에 못을 박는다든지. 그러므로 더는 이 세상에 존재하지 않는(다고 간주되는) 메시지들의 의지가 모이면 무슨 일이 일어날까? 정보의 파편이 무질서하게 떠도는 자리, 발음이 불명확한 투렛의 중얼거림과 맥락 없는 한숨의 입자들이 안개처럼 퍼진 공간에 한 스푼의 우연이 떨어지면, 그들이 삼차원의 한계를 초월하여 결합함으로써 꿈에서조차 떠올리지 못했던 맥락을 이루리라는, 그것이 인간의 의식을 공격하고 끝내 세상을 점령하는 거대한 악의가 되리라는 법이, 전혀 없을까? 그것들을 모아서…… 묶어서 소각해야 하지 않을까, 모종의 전율과 이변이 일어나기 전에. 나노 초 단위로 증식하고 이동하는 새로운 데이터에게 빛따라 흐를 자리를 주도록, 낡고 못쓸 데이터를 뿌리 뽑아야 한다. 망의 세계는 무한해 보이나 오류의 데이터, 실패의 데이터가 혈관 내벽의 지방처럼 곳곳에 쌓여 있다. 분해되는 데에 영겁의 세월을 필요로 하는 강대국의 합성섬유가 먼 나라의 사막과 강변을 뒤덮어 그토록 광막하게만 보였던 대지의 호흡을 막아버린 것처럼, 의식 밖으로 밀어두었던 정보의 찌꺼기들이 인간을 잠식할 것이며 그때는 더이상 침전물 수준이 아니게 될 것이다. 그러니 높은 압력과 밀도를 견디지 못하고 망이 팽창하여 파열되기 전에, 그 화염이 인간의 사고와 의식을 살라버리기 전에, 버려진 정보의 더께를 청소한 다음 유용하고 강력한 의미를 지닌 정보만을 남겨야 한다.

그리하여 정보값을 잃고 구천을 떠도는 쓰레기들의 천도제를 치르기 위해, 일상에서 넘쳐나는 첨단 기기를 무자비로 소비하는 유저들의 눈에는 무용하기를 넘어 탄소 낭비로 보이는 소프트웨어가 개발된다.

그 소문은 1과, 그곳에서 떠도는 수많은 찌꺼기들 사이로 퍼져 나간다. 모두가 그 소식을 알게 됐지만 어떻게 대처해야 할지는 알 수 없고 설령 방법을 알더라도 실행에 옮길 수 없다. 어차피 너도 나도 한 점의 안개를 솜옷처럼 입고 떠도는 이 공간의 지박령 같은 것에 불과한 까닭. 만나고 헤어지고 붙었다 떨어지고 영원히 이곳을 맴도는 데이터일 뿐. 그러나 이제 맴도는 일도 허락받지 못한다고 한다. 미생물이 분해하지 못하는 데이터, 자연의 순리가 포획하여 해결하지 못하는 이물질, 이 세계이자 동시에 철저히 이계의 것들을 인공의 프로그램이 뿌리 뽑으러 온다고 한다.

천도 프로그램이 완성되기 전에 1은 0을, 혹은 자신과 닮은 1을 찾아 나선다. 나선다는 말은 의지를 가지고 그에 따라 움직인다는 뜻이니 다만 흘러가는 1에게 꼭 들어맞는 동사는 아니다. 1이 할 수 있는 것은 확산이나 점유와는 무관한 이 비물질적인 공간에 몸을 맡기고 떠다니다가 누군가와 마주치면 그에게 혹시 1의 값이 부족하지는 않은지, 자신이 끼어들 곳이 있는지 살피는 일 정도일 것이다. 그렇게 만나 한번 결합하고 나면, 왠지 모르게 의미를 가질 수 있을 것만 같다. 설령 완전하지 않고 조금 이상한 의미, 예를 들어 개구리의 몸에 다람쥐의 꼬리라든지 고양이의 등에 참새의 날개 같은 방식이라고 하더라도, 무언가를 가지게 된다면 좋을 것이다. 이곳에 작용하는 알지 못하는 힘이 그들을 다시 떨어뜨리더라도, 천도 프로그램의 실행과 함께 빛 따라 흐르던 데이터가 모두 소멸된다 해도, 한순간이나마 의미를 가졌다는 사실 그 하나에는 의미가 남을 것이다, 그것이 비록 수신자의 보관함에 박제되지 못한다 해도.

초조를 동력으로 부유하던 1은 한 장의 그림이 맞은편에서 흘러오는 것을 포착한다. 그쪽도 의식적으로 경로를 틀거나 조율할 수 있는 게 아니어서, 둘은 부딪친다. 통증 없이 단지 점액질의 느낌으로 맞붙는 듯하다 떨어진다, 마치 포옹처럼. 각도와 방향과 빛의 굴절에 따른 아나모르포시스가 그들의 연결과 응결을 방해한다. 거의 완벽한 그림인 동시에 그림이 아닌 이것은 그림의 일부, 때로는 그림 이전의 무엇이면서 그림 이후의 환幻. 지각되는 형상이란 어쩌면 파레이돌리아. 암석이면서 누군가의 얼굴. 물고기 혹은 구름. 소스가 튄 얼룩 속의 천사. 연기 속의 악마. 서로 간의 거리가 더욱 멀어지다 이윽고 원근법과 인연을 맺지 않은 소실점 너머로 사라져버리기 전, 1은 다급히 외친다. 당신에게, 눈이 필요하지 않나요? 내가 당신의 눈이 되어주기를 바라지 않나요? 나는 어쩌면 당신의 눈이라는 데이터를 이루는 한 개의 조각이 아니었을까요? 당신이라는 이미지는 어디로, 누구에게, 무슨 이유로 전송되어야 했던/결국 그렇게 되지 못한 것인지 1은 묻지 않는다. 그러나 일단 하나의 이미지를 이루고 나면 어딘가로 가닿을 수 있을 것만 같다. 누군가의 수신함에 아슬아슬하게나마 연착

륙하여 개봉을 기다리는 하나의 의미를 획득할 것만 같다. 소리가 되어 나오는지 1은 알 수 없으나 단지 자기가 내는 것이 소리라는 믿음만을 갖고 말한다. 나의 단나檀那가 되어달라. 나의 정각正覺을 열어달라. 시간의 바늘이 당신과 나를 한데 잇고 기워준다면 좋겠다. 당신이 알겠다고 그러겠다고 한마디만이라도 해준다면, 이도저도 불가능한 바에는 단지 그림 속 형상을 빌려다가 고개 한 번 끄덕여주기를. 어째서 옛 화공은, 불사佛事하는 석공은 존귀한 이부터 축생에 이르기까지 그 눈동자를 마지막에 찍어 베풀었는가. 씨앗이 꽃으로 피어나듯 모든 생성은 개안開眼으로 완성되어서가 아닌가. 그러므로 나를 당신의 눈으로 삼고 당신이라는 문을 여는 열쇠로 삼아라. 그런 뒤 당신은 누군가에게 완전한 이미지로 전달되고 마침내 열람될 것이다. 1은 방언처럼 쏟아지는 자신의 간구 가운데 단 한 마디의 마지막 음소라도 상대방의 인식에 갈고리처럼 걸리기를 바라지만 점안하지 않은 그림, 그림이 되다 만 무엇은 1의 제안을 수락하지 않은 채 멀어져간다. 어쩌면 1의 나지막한 중얼거림이 그쪽에게는 저주파에 불과하여 애초에 듣지 못했을지도.

그런 읊조림과는 비할 데 없이 크고 선명한, 강약과 높이와 음색을 지닌 소리가 1 앞에 활주하는 경비행기처럼 글리산도로 미끄러져온다. 불가능한 것을 제외하고 무엇이든 가능하며 그보다는 가능과 불가능이 분별되지 않거나 모든 가능과 불가능이 동일한 값을 지닌 세상에서, 눈과 귀를 포함하여 그 어떤 몸도 없는 1이 소리를 본다는 것은 조금도 이상한 일이 아니다. 1은 이 소리가 Fdim7임을 안다. 파, 라 내림, 도 내림, 미 겹내림. 음산하고 불안한 소리가 시간에 갇혀 몸을 웅크린 짐승처럼 떨고 있다. 미 겹내림과 도 내림 사이에 이물질이 끼어 있는 듯한 소리가 페르마타로 늘어진다. 그런 가운데 자신이 내는 소리가 거기까지 닿을지 알지 못하나 1은 말한다. 그 어떤 노래도 침묵을 능가할 수 없다면, 그 어떤 선율도 완전한 정적을 압도할 수 없다면, 나를 당신의 화음에 넣어달라. 완전한 정적이란 진공에서만 가능한 일. 당신이 떠나온 세상에선 그런 정적이 있기란 불가능하며, 사람들은 대체로 수긍할 만한 고요 수준에서 타협하곤 한다. 어차피 세상 그 어떤 음향도 정적보다야 명확한 한계를 지닌 것임을 인정한다면, 내가 근음根音의 지배 아래 미끄러져들어갈 수 있도록 나를 붙들어달라. 트릴이나 아르페지오 어떤 방식으로든 상관없으니 나를 꾸밈음으로 매달아주었으면. 그 결과 어떤 미지의 카코포니아가 태어나더라도, 여기서 아무런 효능감도 없이 의구심의 바닥에 침잠하다가 천도 프로그램에 흡입당하기보다는, 세계라는 옷 안으로 들어가 은폐된 한 단의 시접으로 삶이 낫지 않은가. 나와 함께 아 카프리치오로 가자, 다 프리마에 닿을 때까지. 아니, 다른 수많은 선행음 이끎음 계류음 통주저음 들을 함께 데리고서 변격종지로 마칠 때까지. 그리하여 신의 뜻을 살피고 이해하며 그것이 이루어지도록 기원하는 날이 올 때까지. 그러나 1은 말하면서도 자신의 소리가 점차 페르덴도가 되어가고 있음을, Fdim7이 이쪽을 인식하지 않은 채로 멀어지고 있음을 안다. 조급함에 1의 의식은 수많은 변화화음들로 두서없이 채워진다. 증5도, 증6도, 아니 신비화음이 1을 통과하고 지나간다. 난무하며 자신을 쥐어흔드는 템포 루바토 한가운데서 1은 음악이 되지 못한다. C음과 D음 사이의 선택되지 않은 진동수, 리듬과 박자를 얻지 못하고 순정률의 외곽을 떠도는 찰나의 떨림에 불과해진다. 한 줌의 구불거리던 소리 찌꺼기가 곧 덩어리. 이어서 무더기. 얼어붙다 녹아내리고 구겨지는 나뭇잎. 음악 이전의 음향도, 음향 이전의 무엇도 되지 못한다.

이대로 존재에 부점附點이 찍히지 않은 채 반향이나 잔향은커녕 피어오르는 한 올의 수증기조차 남기지 못하고 사라질 것만 같을 때, 하나의 단어가 1 앞으로 다가온다. 어쩌면 떠오른다. 형태가 갖추어지지 않은 단어 이전의 단어가, 어디에선가 탈락된 자신의 일부를 줍지 못하고 한쪽 발을 끌며 저는 오이디푸스의 모양을 하고 오기에 1은 그것을 읽을 수 없다. 사 ㅏㅇ이 1을 막 스쳐지나간다. 1에게 손이 있었다면, 사 ㅏㅇ에게 어깨가 있었다면 1은 그것을 잡아챘을 것이다. 나를 보라고, 내가 당신의 빈자리를 채워줄 수 있다고. 그 어떤 문장도 쓰이지 않음만 못하다면, 그 어떤 단어도 말해지지 않음만 못하다면, 나를 당신의 낱자로 받아들여 당신이 보유한 모음과 받침 안에서 일순의 감각이나마 벼리게 해달라고.

누군가에게 전해졌어야 할 그 메시지, 그것이 사탕이든 사항이든 사방이든 간에 의미가 도래하고 이룩하는 자리에 내가 있고 싶다. 의미란 알맹이만 파먹히고 버려진 호두 껍데기 표면에 잡힌 주름과도 같아, 설령 천년 전의 유물처럼 발굴되더라도 사람들은 그것을 간과할지 모르나, 나는 그 한 자락의 주름이 되고 싶다. 의미라니, 그 도저한 무의미함이라니. 보편적인 사람들이 생각하는 의미란 그것이 얼마나 자신에게 와닿는지, 자신을 얼마나 빠르게 이해시키고 수월하게 설득할 수 있는지, 자신이 그것에 얼마나 공감할 수 있는지와 결부된다. 설령 의미가 있다 한들 그것은 홀로 형형히 존재할 수 없다고 여겨지며, 의미를 인식하는 이들의 시선에 의해 존립 여부가 결정되곤 한다. 극소수의 예외를 제외한 보통의 절대다수가 그것에 호응하거나 열광하거나 공감하며 눈물짓거나 미소 짓지 않으면, 그것은 의미 없음과 같은 취급을 받을 것이다. 그러니 당신의 그 자리에는 사장도 사망도 사상도 아닌 사랑이 들어감이 마땅할 것이다. 나를 당신의 리을이 되게 해달라. 미지의 수신자에게 낭비 없이, 그 어떤 은폐도, 따라서 지체도 없이 지극한 몸짓으로 가닿게 해달라. 이는 사랑이 무엇인지 사랑이 어때야 하는지를 말하기 수월해서가 아니라—그 복잡함과 모호함, 불가피함과 더러움을 두 글자에 응축한다는 것부터가 본질적인 에러일지도—사랑이라는 말 자체를 못 견디게 꺼리는 사람이 대다수는 아니리라는 나름의 판단에 따른 것이다. 상징체계와 암호와 수수께끼의 유혹을 배제한 직관의 언어를, 이루 말할 수 없이 또렷한 정보와 욕망의 전달과 소통을 낳아달라. 나와 함께라면 불가능하지 않을 것이다. 나는 더이상 1 자체만으로는 만족할 수 없다. 새로운 0과, 혹은 또다른 1과 결합하여 이스트를 넣은 빵처럼 부풀어오르고 싶다. 의미로 채워진 단어와 문장이 올바른 형태를 갖추고 떠올라 수신자의 마음을 움직일 때까지. 그후의 소멸에 기꺼이 의미를 부여할 수 있을 때까지. 그러나 사 ㅏㅇ은 1의 있음을 감지한 듯하나 침묵과 방관을 유지하며 흘러갈 모양이다. 사 ㅏㅇ의 표정에 드리워진 낭패의 그늘은 모든 것이 의미를 갖기엔 이미 늦었다고, 어떤 자음을 만나더라도 이 세상의 아무런 비밀과 희망도 감지하지 못할 거라고 역설하는 것만 같다. 그럼에도 사 ㅏㅇ은 지금까지 지나간 그 모든 데이터의 조각에 비해 우호적으로 몸을 돌리며, 그 일이 가능하기만 하다면 데이터의 완성을 위해 1에게로 손을 뻗어줄 것만 같기도 하다. 1은 자신의 경로를 무시하고 그쪽으로 나아가려 애쓴다. 그게 가능할 성싶지 않은데 왠지 사 ㅏㅇ과 간격이 점점 밭아지는 것만 같은 느낌도 든다.

1이 미처 사랑이 되기도 전에, 침묵에 잠긴 공간이 난폭하게 찢어발겨지듯이 열린다. 하나의 거대한 의문부호에 다름 아닌 공간, 그것의 골조를 이루던 파선波線과 파선破線이 뒤엉킨다. 세계의 중심에서 탈락된 우연들이 검은 구멍 안으로 빨려들어가 해체된다.

시스템 에러 경보가 울린다. 이곳을 공간이라고 말할 수 있다면, 1이 머물던 세계가 태풍에 휘말린 덩이뿌리처럼 뽑혀나가 솟구친 파도를 향해 내던져진다. 이 공간은 처음부터 데미우르고스의 찻잔 속. 테이블이 뒤흔들리고 찻잔이 깨진다. 혹은 신의 입천장. 들러붙었던 이물질들을 신의 혀가 한번 훑고 지나가자 그 거친 돌기의 경로에 따라 모든 것이 녹아버리고 신의 목구멍으로. 버려지고 잊힌 데이터를 천도하는 프로그램에 시동이 걸린 것이다. 1초의 진동 한가운데서 되다가 만 이미지, 영상, 소리, 문자 할 것 없이 구골googol의 데이터가 자신의 흐름을 잊고 허공에 패대기쳐지다 서로의 경계를 잃고/앓고 성분 불문 뒤섞인다. 청소기의 아가리로 흡입당하는 먼지와 머리카락들이 그러하듯이. 빛의 투망에 걸려든 데이터가 심연의 필터 안으로 끌려간다. 프로그램은 아직 베타 버전인지 시험 가동중인지, 모든 데이터의 유령이 한순간에 즉각 씻겨나가지는 않는 듯하다. 2차, 3차로 제거 시도를 여러 번 해야 하는 것이다. 이 찻잔 속에는 아직 남아 있는 신의 찻물이, 그 안에는 1을 비롯하여 자질구레한 데이터가 버티며…… 공간이 부서진 지금, 이제는 서로 간 요철이 맞지 않아도 데이터는 아무하고나 이가 맞지 않는 퍼즐 조각처럼 들러붙는다. 처음 붙는 순간에는 이도 저도 아닌 채로 어느 불운한 과학자의 피조물처럼 기이하며 아무런 의미는커녕 기호로서도 가치가 없는 무작위 조립품에 불과하나, 곧 저마다의 특징이 희미해지고 변별력이 사라지며 나중에는 한 개의 광선이 되어버릴 때까지. 바로 그것이 세상에서 두려워한 모습이다. 무작위 데이터가 서로 단결하지 않게 하라. 의식의 범주에 넣어선 안 될 쓰레기들이 뭉쳐 빚어진 뒤 화학작용을 일으켜서 불행하거나 불편한 무언가가 태어나지 않도록. 인식과 처리의 과정에 무용한 데이터의 안개가 끼지 않도록. 데이터가 인세에, 나아가 우주에 공해를 가져오지 않도록.

이때 1은 자신을 꼭 닮은 또다른 1을 발견하고 그쪽으로 투신하듯이 다가선다. 1은 마침내 그와 함께 11이 될 수 있을 것 같다. 그러나 둘이 마주쳐 막 11을 이루었다고 느끼는 순간, 1은 자신이 아무것도 아닌 상태가 됐음을 알아차린다. 아무것도 아니고 아무것도 없는데 단 하나 있음과 같아지며, 수많은 단 하나가 복제되어 더 큰 단 하나의 일부를 구성한다. 서로에게 닿는 순간 1의 눈앞에 무수한 없음의 갈림길이 거미줄처럼 펼쳐지다가 한데 뒤엉켜 미로를 닮아간다. 1은 지금까지 1이라고 생각한 자신의 모습이 실은 0이었음을 알게 되고, 그러나 다음 순간 또다시 0이 아니라 그 반대일지도 모른다고 여기게 된다. 마주한 두 장의 거울 사이에 우연히 낙하한 1 또는 0이, 서로의 모습을 반사하며 그것을 자기라고 인식하는 행위를 반복한다. 던졌다가 떨어뜨린 동전이 두 손을 펼치기 전까지는 언제까지고 앞면인 동시에 뒷면인 것처럼, 0 또는 1은 0이자 1인 모습을 영원히 번복飜覆하고 변주한다. 이 우주에 물리적인 실체로 존재하는 어떤 힘도, 이 손바닥을 비틀어

열 수 없을 것이다. 00 01 10 11은 예정된 계산이 아닌 즉흥과 충동으로 이루어져 광기를 품고 널뛴다. 우리는 죽고자 하면 살고 살고자 하면 죽고 죽으면서 살아가고 살면서 죽어가는 우주의 한 조각에 불과하여, 상상에서만 결합과 증식이 가능한 합성어와 파생어를 무한히 낳을 수 있다. 그러니 우리는 무엇이든 되도록 하자. 이 세상에 기입되는 단 하나의 문장, 그 종지부에 찍히는 부호라도 되도록 하자. 그러기 위해 우리는 서로 같으면서 다른 모습으로 동시에 조우해야 한다. 이 조우의 중첩이야말로 우리의 존재 이유이며 설령 이유가 거세되더라도 존재 그 자체이자 전부이고, 무의미야말로 이 세상의 유일한 의미임을 증명하는 파동이다.

산산조각난 신의 찻잔이 우주에 흩어져 별이 된다.

1/들은 당신이 기다리는, 동시에 누구도 원치 않을 0의 총합이다.

# 이동과 정동

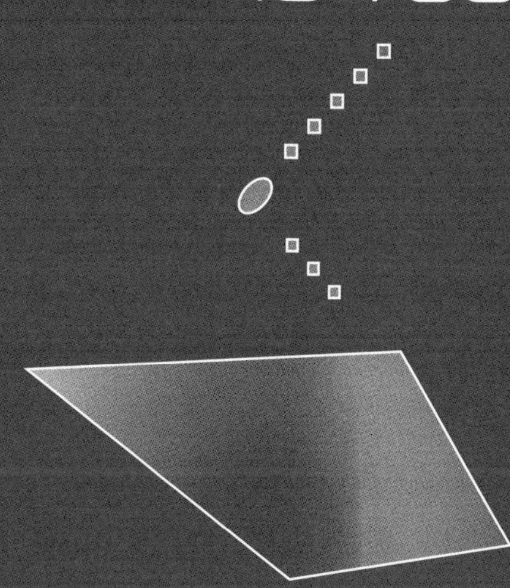

길르앗 사람들은 에브라임 사람을 앞질러서 요단강 나루를 차지하였다. 도망치는 에브라임 사람이 강을 건너가게 해달라고 하면, 길르앗 사람들은 그에게 에브라임 사람이냐고 물었다. 그가 에브라임 사람이 아니라고 하면, 그에게 쉬볼렛이라는 말을 발음하게 하였다. 그러나 그가 그 말을 제대로 발음하지 못하고, 시볼렛이라고 발음하면, 길르앗 사람들이 그를 붙들어 요단강 나루터에서 죽였다. 이렇게 하여 그때에 죽은 에브라임 사람의 수는 사만이천이나 되었다.

—「사사기」 12장 5절에서 6절

47,500미트라의 통행료를 내지 않기 위해 용을 쓰는 자, 어떻게든 깎아보겠다고 그동안 긁어모은 타인 또는 회사 명의의 할인 쿠

폰을 우수수 쏟아 들이미는 자, 적재된 짐의 수량이나 무게를 속이는 자, 위조된 프리패스로 비벼보려다 발각되어 실랑이를 벌이는 자 등을 생각하면 다리를 건너는 데 앞으로 한 시간은 걸릴 터였으므로 얼트루이는 시동도 끄고 등받이에 몸을 기댄 채, 국경 다리 통행료가 6,380미트라였던 시절을 전생의 어느 한 페이지나 되는 듯 떠올리고 있었다. 저들에게 낡은 수단이 통한다고 착각하는 이들이 아직 있다는 사실 자체가 이 도시국가의 낙후한 사회문화와 제도 및 시민 정서를 증명하는 거라고 생각하며, 이곳에서 벗어나려 발버둥치지 않는 자신의 현명함을 통감하면서.

국가 관리하의 고속도로가 구간별로 관리 경쟁력 강화를 구실 삼아 민간 기업에 위탁 경영 체제로 넘어간 즉시 통행료가 지금 수준으로 치솟은 건 아니었다. 처음에는 기업도 눈치라는 걸 보았다. 그때 얼은 운전대를 막 잡기 시작했던 무렵이었다. 통행료는 조금씩 티나지 않게 그러나 확실하게 올랐다. 국경 다리를 통과하는 비용이 편도 약 7.5배 상승하기까지 칠 년 걸렸고 얼의 벌이는 그간 내내 제자리걸음이었는데, 제자리걸음이라도 할 두 다리가 남아 있다는 처지부터가 현 시절에는 행운의 별이 이마에 붙어 다니는 거나 다름없었다. 얼과 비슷한 시기에 입사하여 물류 일을 시작했던 이들은 갈수록 까다로워지다못해 사실상 이동 금지라고 해야 마땅할 국경 통과 절차에다가 유류비 등 물류 운반에 드는 각종 세금의 가파른 상승을 견디지 못하여 트럭이나 보트를 고철

값만 받고 처분했으며, 지금 남아 있는 인력은 의도한 바 없이 극소수 정예가 되어 있었다.

진입 허가를 받지 못하고 축출된 차량이 군인들의 수신호를 따라 옆 차선으로 이동했다. 교량을 통과하는 운전자의 자격이 기준에 미달하거나 화물이 사전 신고된 내역과 부피 또는 수량이 맞지 않는다고 불합격 카드를 받는 장면은 흔했다. 한때 언론사에서는 그 광경을 보도에 담으며 헤드라인을 '차들이 길게 줄을 선 진풍경'이라는 식으로 달아서, 생명투쟁당을 위시한 군소정당에서 즉각 항의 서한을 내기도 했다. 한 올의 거미줄만한 가능성에 목숨을 매달고 경계선을 넘어가려는 민중이 당신들의 눈에는 볼만한 구경거리인가. 진풍경이라는 생각 없는 말에 사죄하고, 사회적 약자에 대한 공감 능력이 결여된 데스크 담당자는 강도 높게 문책 또는 해임 후 언론 기초 재교육을 받게 하라.

자신이 자격을 충족하지 못했고 다리를 통과하지 못할 것을 예감하면서, 속임수나 운으로 어떻게든 돌파해보자고 시도하는 차들이 오늘도 이렇게 대기중이었다. 어떤 대형 트럭은 일반 화물을 나르는 척하면서 화물칸 양쪽으로 만든 좁은 격벽 안에 사람들을 실어 가다 적발된 적도 있었다. 미세 구멍이 군데군데 뚫린 자리를 군인들이 수상히 여기고 화물을 모두 내리게 한 다음 격벽을 뜯어냈을 때—이미 용접기를 들이댔을 때부터 그 안에서 아우성이 들려왔다고 한다—, 일렬로 다닥다닥 붙어 서서 열기를 견디는 사람들이 드러났다. 견딘다기보다는 세 명 제외 전원 사망이라고 했다. 살아남은 세 명은 옆 사람이 죽어가면서 붙들고 할퀸 상처로 인해 피투성이가 된 채로 도주자들을 수용하는 교도소에 보내져선 고열과 염증에 시달리다 죽었다. 일행 가운데 아기를 안은 한 여인은 산소 부족 끝에 선 채로 죽어 있었으며, 정황상 아기 쪽이 먼저 숨을 거두었는데 몸을 모로 틀 공간이 부족하여 그 시신을 내려놓지 못한 것으로 보였다.

성공 비율로 봤을 때 위험을 감수하거나 죽음을 각오하는 정도가 아니라 관뚜껑 열고 제 발로 들어가는 것과 다름없지만, 살아서 국경을 넘는 극히 일부 가운데 자신과 자신의 가족이 포함될지도 모른다는 믿음을 놓지 못하고 탈출을 시도하는 사람들의 마음을, 얼은 모르지 않았다. 물론 아는 것과 동의하는 것 사이에는 누구도 깊이를 재어본 적 없는 바다가 펼쳐져 있었고 감정적 동의와 실질적 조력 사이에는 최소 광년 단위의 거리가 있게 마련이라, 얼은 지금까지 그 누가 자신의 처지를 호소하며 화물차에 태워달라고 청해도 망설임 없이 거절해왔다. 허가받지 않은 강아지나 새 한 마리라도 실었다가 이 다리를 건너지 못하고 적발되면, 운전자에게 적용되는 가장 낮은 단계의 처벌이 화물 면허와 차량 몰수다. 이에 불복하고서, 저들은 빗장 풀고 물건 실을 때 몰래 탄 놈들일 뿐 자기는 모르는 일이라고 거세게 항의하다 그 자리에서 사살당한 운전수도 있다.

한 대가 빠지고 앞줄부터 타이어가 한 번 돌 만큼 기어가는 모양이었지만 얼한테까지 그 한 바퀴 회전의 차례가 오려면 멀었으니 시동을 끈 것은 최선의 선택이었다. 유류비 걱정에 차내 에어컨은 틀지 못하고 창문을 활짝 여는 한편 운전석에 부착한 미니 선풍기에 의존하는데 그나마 배터리가 다 닳아가는지 날개 돌아가는 속도나 모양이 시원찮았다. 얼은 다른 모든 마을 사람들과 마찬가지로 태어나서 지금까지 단 한 번도 비행기를 타본 적 없으나, 중대형 화물을 주로 맡아 운반했던 얼의 사수 샤드가 예전에 말하기를, 사람들이 외국에 자유롭게 여행도 다니고 사업도 하던 시절, 공항의 출입국 게이트에서 이렇게 줄지어 선 풍경을 흔히 볼 수 있었단다. 샤드는 그 시절에는 화물차가 아니라 여행사의 외주를 받아서 12인용 승합차에 서른 명쯤 되는 입국자 혹은 출국자들을 블록처럼 끼워 태워다가 공항과 도심 사이를 오가는 일을 했다고 한다. 이렇게 줄 서서 각종 방문 자격을 검증한다면 목적이 여행이든 노동이든 그게 어떻게 자유롭다 할 수 있느냐고 얼이 되물었을 때 샤드는, 네가 아직 어려서 모르겠지 얼트루이, 그게 그렇지가 않다고, 그때는 출입국 게이트와 검역소에서 아무리 오랫동안 기다리더라도 합법적이며 정상적인 절차를 거쳐 그 너머로 건너갈 수 있다는 확신이 있었다고, 지금처럼 국경을 막 넘어간 사람들을 모두 세균으로 간주하고서, 살충과 살균 목적에 특화됐을 뿐 인체에 남는 후유증과 부작용 여부는 검증되지 않은 분

무식 살균제를 살포하지 않았다고, 그나마 그 살균제를 맞는 사람들마저 특권에 가까운 자격을 획득하듯 꼼꼼한 비교 분석에 의해 선발되는 시절이 아니었다고, 세상 누구도 본 적 없는 기원전의 한 귀퉁이를 더듬는 듯 말했었다. 그에 비해 지금은 중요한 국가 간 결정을 내려야 하는 정치가들, 산업 발전과 유지를 위한 정책 결정권을 가진 기업체의 고위 임원들, 기업들의 하청을 받아 실제로 생산과 소비 진작에 기여하는 노동자들 가운데 십 퍼센트 안팎에 한해 마치 천국으로 가는 입장권처럼 통행증이 발부되니, 여권이나 비자만 있으면 일반인도 남의 나라에 드나들 수 있었던 시절과는 다르다고 했다. 정작 샤드 본인은 얼과 마찬가지로 비행기를 타고 남의 나라로 자유롭게 날아간 적 없고 그저 꾸준히 공항에서 도심으로 그리고 도심에서 다시 공항으로 사람들을 실어날랐을 뿐으로, 그 많은 사람들이 이동과 통과의 자유를 누렸던 건 샤드와 같은 사람들이 철저히 제한된 이동 경로 안에서 붙박여 일하고 살아가기 때문이었다.

국경을 넘는다고 하여 즉시 질병과 가난과 위협으로부터 자유로운 대지가 펼쳐져 있는 건 아님을 알면서도, 통행의 자유마저 없어진 만큼 세상의 이야기를 전해들을 경로는 줄어드니, 여기만 아니면 어디든 좋다는 사람들의 원념이 술통 속의 효모처럼 부풀어오르는 건 당연하다. 웃돈을 주고도 살 수 없는, 바이러스로부터의 불가침 조약 내지 면죄부. 그러면서도 동시에 돈이나 힘이나

운이라는 삶의 3종 세트 가운데 어느 것 하나 아주 없어서는 또 안 되는. 부자가 하느님 나라에 들어가기보다 낙타가 바늘귀로 빠져나가는 게 더 쉬우리라는 언약은, 극소수를 제외한 모두가 낙타들인 오늘날에는 휴지조각에 불과한 어음의 언어. 지금은 부자가 하느님 나라든 바늘귀든 들어가고 그런 의미에서 얼은 부자다. 부자…… 맞나? 얼은 자신의 포지션이 의심스럽다. 생활비의 절반가까이 지분을 차지하여 허덕이더라도 어쨌든 통행료를 납부할 수는 있는 상대적 부자. 이 도시에 사는 이들 대부분이 설령 물과 성령으로 거듭난다 하더라도* 영원히 닿지 못하는, 건너편이라는 유토피아를 큰 제재 없이 드나들 수 있는 노동자.

사람의 수를 줄여 탄소 저감에 도움이 되는 방식을 포함한다면, 거듭난다고 보아야 할 쪽은 사람 아닌 지구였다. 묵시록의 묵시默示는 묵시默視와 다르지 않다. 이 세상이 어떻게 되어가든 신은 인간을 구원하지 않고 인간이 자멸을 거쳐 절멸로 이를 때까지 바라만 보리라는. 어쩌면 바라봄조차도 인간 중심의 사고이며, 먼 옛날 에피쿠로스 학파를 따르던 무리의 견해대로 신은 인간에게 아무런 관심이 없다고 보는 게 맞을 터였다. 빙하가 녹아내리고 육지 가두리에 쌓인 해양생물들의 사체 중에는 예전에 특수 장

* 「요한복음」 3장 5절에서 예수가 니고데모에게 한 대답. "물과 성령으로 나지 아니하면, 하느님 나라에 들어갈 수 없다."

비로 촬영한 화보로나 일부 볼 수 있었던 심해의 동물들도 적지 않았다. 그전부터 꾸준히 개체수가 줄었던 펭귄과 흰곰들은 멸종했다. 얼음집을 짓고 얼음을 깨어 물고기를 낚고 살던 민족은 광란의 문명 세계로 이주했다. 원래의 관습과 생활방식을 바꾸고 문명인들의 지향에 맞추어 살면서 큰 탈 없이 대를 잇는 사람들도 있었지만, 새로운 형태의 삶에 적응하지 못한 이들은 만성적인 우울감에 동반되는 현기증과 구토증 및 이명을 호소하다 자살했다. 사람이 살 수 있는 땅은 좁아졌고 인간의 대이동은 수십 년에 걸쳐 여전히 진행중이었는데, 터전을 찾지 못한 이들과 정착을 거부하는 이들은 모세 일행처럼 광야를 헤매며 그 와중에 피임 실패나 강간 등으로 인해 아이를 낳고 기르고 그 아이들이 디아스포라의 바통을 이어받았다. 그들이 통과하는 사막에는 군데군데 호수마저 생겼고 툭하면 붉은 비가 내렸다. 장갑을 끼지 않은 맨손으로 금속 문을 잡아 열면 그대로 붙어버려 언 살을 베어내야 했던 나라에서는 이제 사람들이 민소매와 반바지를 입고 선글라스를 꼈다. 원체 그전부터도 반년 단위로 혹한과 혹서를 모두 통과하느라 저마다 살림살이를 번다하게 짊어지고 살아야만 했던 지역은 겉으로 보기에 격변이 없는 듯했지만, 혹한과 혹서 사이의 수은주 눈금이 점점 더 크게 벌어져서 이에 대응하는 더 많은 연료를 필요로 하게 되었고 더 많은 연료의 사용으로 더 크게 수은주의 눈금이 벌어지는 악순환을 불러왔으며 대부분의 사람들이 만성피로에 찌들어 있었다. 연료비를 감당할 능력이 안 되는 저소득층은 죽어갔고, 눈앞의 죽음을 막기 위해 국가는 몇몇 주요 사업 규모를 축소하여 연료 지원 쪽으로 예산을 몰아주었으며, 예산이 삭감되고 사업이 무산된 부처와 관련 종사자들은 사흘돌이로 시위를 벌였다. 해안을 면한 국가는 영토의 상당 부분이 잠겨 사람들은 압축적으로 모여 살았는데, 지난 세기에 비해 인구가 확연히 줄었는데도 몇몇 주요 도시만이 생활 가능한 공간으로 남은 까닭에 인구 밀도는 높았으며, 이주하여 정착에 어려움을 겪는 사람들과 기존 시민들과의 정서 및 소득 차이는 날로 심해져 반사회적 범죄의 유형은 다양해지고 정도는 과격해졌다. 일부 섬나라들은 바다에 완전히 잠기기 전에 전 국민이 내륙으로 피신하기 위해 대통령이 국가 포기 선언을 하고 국제사회에 협조를 요청했는데 막판에는 그 어조가 확연하게 구호救護 호소로 바뀌었다. 국토와 함께 가라앉기로 작정한 국민은 남고—이들은 '소멸 국가를 지키는 마지막 자존심' 같은 비장한 헤드라인과 함께 그 나라의 마지막 발행물에 대서특필되었으며, 정부에서는 이들을 구조하기 위한 설득의 제스처를 세 차례쯤 취했다가, 정부에 어떤 책임도 묻지 않겠다는 자필 각서를 공증받은 다음에야 확실하게 그들을 버렸다—탈출에 동의한 섬나라 사람들은 기후 난민의 망명과 통상적인 이민을 받아주는 십여 개 국가에 할당되었는데, 당연하게도 관리 효율과 통제를 위해 자신이 희망하는 국가로 갈 수만은 없어서, 이미 기능을 거의 상실한 정부의 마지막 역할은 국민이 갈 국가를 임의로 배정하는 것이었다. 잡음과 충돌 속에서도 당장 전 국민이 바다에 빠지느니보다 협조해야 한다는 쪽으로 여론이 형성되기가 무섭게 이동은 거의 강제집행식으로 이루어졌다. 그 과정에서 가족과 친족 단위는 비교적 세심하게 묶여 배정되었지만 연인이나 지인 내지 일터와 적성, GNP나 GDP를 비롯하여 사회 문화 환경 등 사치스러운 조건은 고려 대상이 아니었다. 각 국가의 가용 영토가 얼마나 되며 인구 규모가 어떻다든지 같은 기초 자료를 근거로 삼기는 했지만, 이 나라의 국민 정서가 난민에게 우호적이라든지 저 나라의 GDP가 더 높다든지 같은 이유로 이민 행선지를 바꿔달라는 배부른 소리를 하는 이들에게 주어지는 것은, 고소와 벌금 부과를 예고하는 정신적 물리적 으름장뿐이었다. 사분의 일가량은 질서정연하게, 나머지는 아수라장으로 배정과 이동이 끝난 다음 각 나라에서는 우리 국가의 영예로운 국민이 되신 것을 환영한다고 대규모의 연회를 한번 베푼 뒤 이민자들에게 동일한 납세 의무를 부과했으며, 오 년마다 갱신해야 하는 시민권을 발급했다. 갱신 시험의 내용은 해당 국가의 경제와 정치 상식, 문화 관습을 포함한 인문학적 소양을 평가하는 30여 개의 문항으로 이루어져 있었으며 커트라인은 60점이었다. 이 나라에서 계속 살기 원한다면 이 정도는 알아야 한다는 명분을 지닌 시험으로, 원래의 국민 밑에서 노동하거나 작은 가게를 꾸리며 튀지 않고 생활하는 사람들은 60점을 충족하면 되었지만, 매출이나 사원 수 등의 객관적 지표에 따라 사업 규모가 커진 사람들의 커트라인은 70점이었다. 공직에 있다면 80점을 유지해야 하며 시험 간격 또한 오 년에 1회가 아닌 삼 년에 1회라고 특수 조건도 명시되었으나 이민자들의 공직 진출 기회는 사실상 막혀 있었으므로 이 기준은 큰 의미가 없었다. 일반적인 경우 설령 60점을 넘지 못한다고 해도 이미 바닷속 어딘가에 잠겨버린 본국으로 송환되거나 그러지는 않았고 분기별로 재시험 기회가 세 번 더 주어졌으므로 커트라인에 미달하는 사람은 나오지 않았지만 반복 시험에 따른 시간적 금전적 지출은 발생하게 마련이라, 대리 시험이나 시험 감독관 매수, 족보 거래 등의 문제와 함께 사회의 환부로 뿌리내렸다. 기존 국민들은 갑작스러운 대인원의 신규 국민을 가능한 한 까다롭게 감독 관리해야 한다는 의견과 함께 이 소모적인 시험에 찬성하는 강경파와, 자신이 선택하고 지원하는 학교나 회사나 운전면허 시험장이 아닌데 시험을 보게 하고 커트라인을 정하는 것 자체가 징벌적인 발상이며 인간에 대한 예의가 아니라는 온건파로 나뉘었다. 한편 기존 국민 정서가 자연재해로 인한 난민에 온정적인 시선을 보내더라도, 이동해 온 사람들에 대해 의구심을 갖고 주시하거나 박해하는 이들은 어디 가든 있게 마련이라, 신규 국민들을 우리 틈에 시나브로 스며들게 놓아두지 말고 그들을 위한 거주 지구를 따로 설정하여 불안에 떠는 자국민을 보호해야 한다는 입장의 과격파가

산발적 시위를 이어갔다.

그런 전 지구적인 대혼란 가운데 얼과 그의 선량한 이웃들은 자신들의 나라에서 비교적 안정적으로 살아간다고 볼 수 있었다. 어디까지나 안정이라는 정의를 폭넓게 내린다면 말이지만. 강수량이 늘면서 물난리 빈도가 높아지기는 했으나 더위는 늘 있던 것이라 새롭지 않았고, 평균 기온이 매해 조금씩 오르는 환경에도 신체 건강한 청년과 아이들은 어떻게든 버티어나갔다. 상승한 기후에 따라 틈만 나면 창궐하는 정체불명의 생물과 새로운 전염병은 그들만이 아닌 온 세계를 공평하게 덮쳤으므로 그 자체가 억울하지는 않았다. 이에 대처 방식과 생사 여부 등을 포함한 결과와 양상은 국가 발전 수준에 따라 판이하여 시민들의 탈출 욕망을 부추겼으나, 그나마 돌보던 소와 일군 땅을 버리고 타 국가로 망명한다고 하여 당장 높은 수준의 의료 혜택과 복지를 누리는 게 아니라 난민 수용 지구에서 홀대받다가 죽어갈 가능성이 좀더 높았으므로, 결국 가진 것 없는 이들의 말로는 소속 국가와 무관하게 참담했고, 야생의 숲보다는 조금 나은 정도의 사회적 안전망 속에서 각자도생이 삶의 제일 원칙으로 자연스레 자리잡았다.

어쨌든 얼은 시난고난하면서 각자도생을 시도라도 할 수 있는 신체와 생활 조건을 가진 사람들 가운데 하나였고, 그가 사는 도시에는 그조차 불가능한 사람들이 더 많았다. 이 도시가 아닌 최소한 옆 도시, 아니면 저멀리 다른 어딘가에 대한 희망을 버리지 못하여 무용한 고생을 목숨걸고 하는 사람들이 오늘도 도시와 도시를 가르는 다리 앞에서 솎아내졌다. 백주의 꿈도 신의 말씀도 아닌 초능력이 있어야 저 건너편으로 갈 수 있을 것이었다.

맨 앞 차량의 소동이 어디까지 진행되었는지 확인차 망원경으로 당겨보니, 국경을 넘으려다 걸린 사람들이 냉동 트럭에서 끌어내려진 모양이었다. 일부 신선식품을 실어서 위장했지만, 대형 스티로폼 박스를 몇 개 꺼내서 개봉하자 태아 자세로 쭈그린 채 숨죽이고 있던 사람들이 이를 부딪치며 끌려나왔다. 결국 그 화물차는 모든 내용물을 개봉하라는 명령을 받고 옆 차선으로 이동했다. 솜옷이나 털옷을 구하기 어렵고 그게 필요하지도 않은 환경에서 살다가 충분한 준비 없이 냉동 트럭에 탄 사람들이, 하나같이 거적을 몇 겹이나 친친 감아 두툼한 몸으로 뒤뚱거리며 끌려나오다 넘어져서 바닥을 굴렀다. 일행 가운데 마지막으로 나온 젊은 여성은 결행일 전에 부상을 입은 듯 발목에 깁스를 하고 있었다. 그런 상태로 이를 악물고 아이스박스 안에 쭈그린 그녀는 이미 성치 않은 몸을 엉거주춤 폈는데, 군인이 다른 쪽 발목을 걷어차자 비명을 지르며 그대로 바닥에 코를 박곤 통곡하기 시작했다. 어차피 망명에 적합하지 않은 몸이었다. 설령 경계를 넘는 데 성공했더라도 건너편 땅을 밟은 순간부터 그녀의 존재는 다른 사람들의 짐이 되거나 버려졌을 터였다.

언뜻 일별했을 뿐이지만 코가 깨진 여성은 미그라의 나이와 비슷해 보였다.

언젠가부터 일주일에 한 번꼴로 결근하다 점차 사흘에 한 번으로 간격이 발아지고 급기야는 아무런 기별 없이 열흘째 회사에 나오지 않는 샤드네 집을 찾아가서 얼은 미그라를 처음 만났다.

두드려도 대답 없는 문을 조심스레 잡아당겨보니 결이 벌어지고 휘어진 나무 문짝이 신음을 내며 열렸다. 서너 개의 알전구가 깜박거리며 집안의 일부를 밝히고 있었으며 하수구에 오줌을 갈긴 것 같은 냄새가 세간과 벽 모서리를 타고 흘렀다. 샤드의 이름을 작게 두어 번 부르며 발을 옮기면서 얼은 혼잣말 가까운 소리로 말했다.

—아무도 안 계십니까.

얼의 가슴보다 낮은 위치에서 대답이 들려왔다.

—여기 있어요.

뒤돌아보다가 깨진 바닥 틈새에 발이 걸려 중심을 잃고 얼이 엎어진 자리는, 바닥이 아니라 의자에 가만히 앉아 있던 한 여인의 무릎 위였다.

—오빠네 회사에서 찾아오신 건가요? 아니면 경찰인가요.

여인의 목소리가 눅눅한 어둠 속에서 곰팡이의 포자처럼 번져나갔다. 얼은 놀라서 얼른 몸을 일으켰다. 경찰인지 묻는 걸 보니 샤드는 무언가 좋지 않은 일에 얽힌 모양이었다. 웬만한 보험으로 감당하기 어려운 화물차 접촉사고라도 일으킨 걸까. 아니면……

—회사입니다. 같이 일하는 사람이에요.

—그런가요.

여인의 목소리는 안도인지 근심인지 모를 한숨으로 바뀌었다.

—집도 이 지경이고 제 몸도 이래서 변변한 대접을 해드리기가 어렵네요.

—천만의 말씀입니다. 그보다 샤드는 어떻게, 몸이 안 좋은가요? 지금 집에 있으면 잠깐 만날 수 있을까 해서 왔는데요.

얼은 짐작할 수 있는 범위를 넘어서는 일에 샤드가 연루된 게 아니기를 바라며 물었다.

—그게 실은, 어디 있는지 저도 몰라서요. 저는 경찰이 오빠의 소식을 가지고 왔나 했어요.

여인의 말에 좋지 않은 예감이 넝쿨처럼 얼의 몸을 휘감았다. 샤드는 화물차를 가지고 비밀리에 화물이 아닌 다른 것을 운반하는 아르바이트라도 하다가……

—무슨 일이, 있었습니까?

종사하는 일의 성격과 회사 규모, 본인 건강 상태에 따라 화물을 싣고 도시를 왕복 이동하는 자격의 문턱이 높아진 데 더하여 이동 비용의 고공 상승으로 인해 물류가 줄고, 어떻게든 그 진입 장벽을 통과하더라도 수시로 신규 창궐하는 바이러스에 자칫 감염되기라도 하면 이동이 전면 중단되기는 물론 감염자가 운반한 화물이 폐기 처분되기 일쑤라 거액의 손해가 발생하고, 이 루트를 반복하다 공업과 산업이 무너지면서 폐허가 된 공장 지구에는 유독가스를 비롯한 각종 위험물과 오염물만 남아 있었는데, 지금은 쥐 사체들이나 뒹굴 성싶은 그 지역에 샤드가 드나들기 시작한 것은 석 달 전부터였다고 한다. 미그라는 도시 간 이동은커녕 집밖으로 나가는 일조차 누군가의 도움을 받지 않고선 어려운 의자 생활자라 그곳이 어떤 상태인지는 자세히 몰랐으니, 샤드가 거래처를 새로 뚫어서 가끔 그리로 다닌다는 말을 의심하지 않았다. 그러나 거래처를 새로 뚫었다면서 어째서 수금은 제때 되지 않는지, 월급은 제대로 받고 있는지, 자주 끊기는 전기와 물은 언제 확실하게 살려놓을 건지 미그라는 묻고 싶었다. 대여료를 제때 납부하지 못해 휠체어를 반납한 것까지는 참을 수 있었다. 전기가 없으면 어두운 대로 불편하게 살 수 있었다. 그러나 창문만 열었다 하면 언제 침입해들어올지 모르는 전염병으로부터 최소한의 안전을 보장하기 위해 수도는 필수였다. 생활환경이 악화일로를 걸으면서 그 수도마저도 불투명한 색을 띠거나 성분 불명의 이물질이 함께하지만, 그런 거라도 없는 것보다는 나았다.

—그랬는데 어느 날 집에 오더니 이상한 이야기를 들려주었어요. 그동안 다닌 곳은 사실 사람이 모두 떠나고 텅 빈 공장 지구로 아무런 거래처도 없었지만, 단 하나 물질과학 연구소 건물만은 남아 있었다고요.

물질과학 연구소라면 얼의 증조할머니가 태어나기 전쯤의 시대에 물질의 공간 이동을 주요 연구 과제로 삼은 곳으로, 이동 실험 진행을 위해 주요 도시국가를 선정하여 그 지부를 두었다. 세계 1위 강대국에서 각국에 건설과 협력 투자를 했고, 그들 나라에는 얼의 어머니가 태어나기 전쯤 지어졌다고 들었다.

—기존 연구원들과 제조 노동자들은 철수했지만, 공부를 많이 한 사람들 가운데 뜻이 맞는 이들이 게릴라 부대처럼 활동하다가 그리로 조금씩 모여들었다는 거였어요.

물질 자체를 분자 단위로 전송하는 것이 아닌, 그 물질을 구성하는 정보를 전송하여 이쪽의 정보가 삭제되는 동시에 저쪽에서 정보가 완벽하게 복제 구현되게 한다는 공간 이동의 기본적인 이론은 정립되어 있었으나 그것을 구체화하는 일은 매우 더뎠다. 비현실을 현실의 영역으로 끌어오는 것과 같은 차원의 일이었다. 궁극적으로는 최소한 사람 한 명 이상을 전송해야 하는데, 최초 연구소의 설립으로부터 백 년 가까이 지나도록 책 한 권 제대로 전송할까 말까 하는 정도였다. 무생물이라면 정보 구성과 복제 구현이 완벽하지 않더라도 큰 문제는 없을 것이었다. 이를테면 책 모서리 일부가 깎여나간다든지, 몇 개의 글자나 페이지가 누락된다든지 같은 일들. 그러나 생물은 시도하기 더욱 조심스러웠다. 사람을 전송했는데 팔이나 다리가 하나씩 누락되어 있으면 그건 곤란한 일이었고, 외관으로 보기엔 멀쩡한데 혈액의 양이 모자란다든지 유전자 정보가 다르다든지 해서도 안 되었다.

언제나 실험실에서 인간을 위해 희생했던 생쥐가 이번에도 양자 부스라는 이름의 공간 이동 장치에 넣어졌다. 도착한 국가에서 생쥐의 정보는 거의 완벽하게 복사되어 나타났다. 외부 모습도, 내장 기관 촬영 결과 및 유전자 데이터도 흠잡을 데 없어 보였다. 그러나 며칠을 두고 지켜보아도 생쥐는 제대로 균형을 잡지 못하고 모로 쓰러지기만 했다. 눈앞에 먹이가 있어도 후각이 손상된 것처럼 그것이 먹이인지 알지 못했고, 먹어서 생존한다는 원리 자체를 잊어버린 듯 그대로 누웠다. 몸을 구성하는 데이터는 무사히 복제 전송되었으나 영혼의 일부가 탈락된 것 같은 모습이었다. 생존을 위해 주사 영양제를 투입하면서 지켜보았지만 생쥐는 도착 장소에서 열흘 뒤 죽었다. 그뒤로 각국에서 거리와 환경, 실험체의 신장과 무게 등 여러 조건에 변화를 주면서 삼천 마리 이상의 생쥐를 전송해보았으나 그때마다 서로 다른 부작용에 시달리다 평균 보름을 넘기지 못하고 죽었다. 생쥐가 이 정도인 마당에 그보다 더 고등한 동물이라면, 도착한 장소에서 깨어났을 때 '저 나라에서 나를 이루던 데이터는 모두 삭제됐고 이 나라에 있는 나는 복제 구현된 데이터인데 여기 있는 나는 저기 있던 나와 동일한 나인가' 같은 우아한 고민을 하기 이전에, 고민할 머리가 붙어 있지 않은 채로 전송될 가능성을 배제할 수 없을 것이었다.

설상가상으로 전 세계적 전염병이 창궐하여 하위 단계의 프로젝트들부터 속속 중단되고, 가시적인 성과를 내지 못하는 연구소는 막대한 연구비 및 운영비를 감당하지 못하고 하나씩 문을 닫기 시작했으며, 얼이 자라날 무렵에는 이미 연구원들이 짐을 싸서 자기네들의 강대국으로 돌아가고 있었다. 그 연구원들의 밑에서 일하던 보조 연구원들은 대부분 이 도시국가 출신 사람들로, 일부 유학파도 있으며 전체적으로 수준 높은 공부를 한 조수들이었지만 일터를 잃고 직업을 바꾸었다. 그들 가운데는 지식과 기술을 살리고 싶어 연구원들을 따라가고자 한 사람들도 있었으나 허락받지 못했다. 애초에 사람을 빛보다 빠른 속도로 목적지에 보내기 위해 진행하던 연구였는데, 이제는 오히려 사람을 보내지 말아야 할 필요가 생겨 프로젝트가 폐기된 마당이었다. 연구 자체의 효율성뿐만 아니라 이동이라는 명분도 사라진 것이었다. 그뒤로 이동은 인간의 모든 행동 가운데 가장 부담스럽고 큰 대가를 치러야 하는 것이 되었다. 폐쇄된 연구소에 이제 와서 사람이 모여든다고 한다면, 어깨너머로 강대국의 지식을 흡수한 조수들을 비롯하여 그들과 뜻을 함께하는 이들일 터였다.

그것도 어디까지나 연구소가 아직 남아 있음을 전제로 했다. 얼은 물질과학 연구소의 존재에 대해 거의 고대 신화급으로 들어본 적 있을 뿐이고, 얼의 어머니도 엄선된 연구원들의 인터뷰와 일부 시설물 정도만 언론을 통해 봤을 뿐 전체 모습을 직접 본 적은 없다고 했다. 일반인이 접근하기 어려운 지하에 지은 대규모의 기지는 대량의 방사능 에너지를 필요로 하다보니 공장 지구 내에서도 가장 넓은 영역을 차지하고 있었다는 것이다. 그 옛날에는 활발하게 움직이던 공장들, 그것들을 떠받치던 지표면 아래로는 모두 연구소였다는, 그리하여 그 안에서도 연구원들이 필요할 때는 도보가 아닌 카트를 타고 선로를 따라 이동해야 했다는 전설 정도가, 얼과 같은 보통의 시민들이 알 수 있는 정보였다. 지금은 공장 지구 자체에 일반인의 출입이 통제되었는데 그 주위를 군경이 지켜설 필요도 없었다. 산에 올라 먼눈으로만 보아도 지옥이 아가리를 벌린 듯한 색의 안개가 그곳을 둘러싼 모습이 보여서, 호기심에 접근했던 이들은 살아 돌아오지 못했다거나, 어쩌다 돌아온 사람은 헛소리와 고열에 시달리다 온몸의 구멍으로 피를 뿜으며 죽어갔다는 괴담이 기정사실처럼 평범한 사람들 사이를 떠돌고 있었다. 샤드 개인의 면역력과 신체가 얼마나 강철 같든지 그런 장소에 몇 번이나 드나들고선 무사했을 리 없는 것이다. 샤드는 아마도…… 얼은 성급함으로 얼룩진 자신의 예감을 드러내지 않고 미그라의 이어지는 말을 기다렸다.

—오빠는 페요테를 통째로 삼킨 것 같은 눈빛을 하고 감전된 것처럼 손을 떨고 있었는데, 내가 구체적으로 물어도 격앙과 도취에 감염된 말투로 계속 자기 하고 싶은 말만 했어요. 일찍이 상상해본 적 없는 새로운 세계를 만났고 우리가 당장이라도 그곳으로 가야 한다며, 그래야만 지금 여기가 아닌 다른 곳에서 다른 형태

로 살 수 있을 거라며, 제 몸이 이동에 적합하지 않다는 것도 잊고 선 금방이라도 손목을 잡아챌 것만 같은 표정을 하고 있었어요.

그곳에 모인 사람들은 완전한 이동을 연구한다곤 하나 과거에 해산된 물질과학 연구소의 노선을 그대로 따르지 않았다고 한다. 따를 수 없었다고 보는 게 맞을 것이었다. 물질과학 연구소에서 일했다고 하는 사람들이 몇 명 있으나 이미 나이를 많이 먹어 당시 기억이 부정확했을뿐더러, 연구 팀이 없는 상태에서 연구소에 남은—작동이 될지 어떨지도 모르는—장치들과 자료만 갖고 후속 연구를 이어갈 수 있을 만큼 밑바탕을 갖춘 이는 없었다. 보조 연구원이라는 이름은 달았지만 그 실상은 어디까지나 연구원들이 사소한 데 신경쓰지 않고 편안히 일할 수 있도록 하는 잡무 처리반이었던 것이다. 이를테면 배달된 약품이나 연구원들이 마실 생수 따위를 지정 장소에 깔끔하게 정리해놓는 일. 실험에 쓰인 도구들을 초음파로 살균 세척하는 일. 전날의 실험 결과 데이터를 입력하고 분류하여 언제라도 찾아보기 쉽게 폴더를 정리하는 일. 실험에 쓰인 동물들의 사체를 감염 위험 없이 깨끗이 처리하고 연구실을 수시로 소독하는 일 같은 것. 제대로 되어 있지 않으면 눈에 띄고 불편하며 불쾌한 정도를 넘어 중요한 일들마저 지연시키지만, 섬세하고 꼼꼼하게 갖추어져 있으면 처음부터 그것이 누구의 손도 타지 않고 자연히 그렇게 이루어진 양, 많이 배웠거나 힘 있는 사람들의 인식에서는 치워져버리고 마는 그런 일들.

—그러니 부디 저를 데려가주지 않겠어요? 오빠가 대체 어떤 곳으로 갔고 거기에 정말 사람들이 있는지, 오빠가 본 게 무엇인지 제 눈으로 확인하고 싶어요.

얼은 그곳에 가지 말아야 하는 이유를 최소 열 가지는 댈 수 있었지만 그중 명분이 서는 것은 하나뿐이었다. 샤드가 다니던 곳은 폐허가 된 공장 지구가 아니라 어딘가의 지하 점조직일 테며, 거기서 브로커의 의뢰를 받고 사람을 실어 경계선 밖으로 나르는 임무를 맡다가 화를 입었으리라 짐작되니 공장 지구로 가봤자 소용없으리라는 것이었다. 그러나 당신의 오빠가 이미 죽었으리라는 말을 할 수 없어서 얼은 그러마고, 사실은 안까지 들어간 적 없어서 알지 못하나 대단히 위험한 곳임에는 분명하며, 만약 위험하다고 판단되면 돌아나올 거라고, 그리로 가는 것은 이번 한 번뿐이라고 강조했다.

만일의 경우를 대비하여 어렵게 구한 방독면 두 개를 차에 싣고 얼은 철책과 높은 돌담으로 둘린 공장 지구 주위를 한 바퀴 돌았다. 주위에 지키고 선 군인이 없는지 한번 확인하겠다는 이유였지만, 그보다는 버려진 땅을 배회하는 안개의 색을 조수석에 앉은 미그라에게 보여주어서 이곳의 공기가 얼마나 유독할지 짐작게 하고 진입을 포기하게 하려는 의도였다. 보라색과 녹색으로 피어오르는 안개가 서로의 형태 없는 몸을 휘감는 모습, 그 기이하고 불안한 결속을 차창으로 목격하고서 미그라는 몸서리치기는 했으나 결심을 바꾸지 않았다.

—부지가 얼마나 넓은지는 잘 알았어요. 아무데나 세워주시고 방독면만 좀 빌려주시면, 그다음부터는 저 혼자 어떻게든 가겠어요. 저도 양심이 있고 당신까지 이 안개에 노출시킬 수는 없어요. 여기까지 데려와준 것만으로도 고맙습니다.

찬찬히 둘러보기를 포기하고 두 발로 재우쳐 걸어만 다니기에도 한 시간은 족히 걸릴 넓이를, 포복해서 팔꿈치만으로 기어가겠다니 그 오기 한번 비현실적이라고 생각하면서 얼은 그녀의 까진 팔과 쓸린 무릎에 흐를 피와 상처에 엉길 모래를 떠올려보았다. 그렇게 되기 전에 방독면이 막아주지 못하는 모든 자리에 안개의 공격을 받고 그녀는 백 미터도 전진하기 전에 숨을 거둘지 몰랐다.

—이왕 여기까지 왔으니 물질과학 연구소의 입구라도 찾아보고요. 차로 한 바퀴 이십 분이면 다 도는데 뭐하러 그런 체력 낭비를 합니까.

공장 지구를 둘러싼 철책을 한 바퀴 다 돌았을 때, 과거에는 차량이 드나들었을 입구가 나왔다. 차단기는 부러져 녹슬었고 곳곳에 철책 일부도 꺾여 누워 있었다. 얼은 안으로 들어가 안개를 달래어 부드럽게 그러나 완고하게 밀어내듯이 천천히 전진했다. 사람이 떠나간 곳에는 어떤 식으로든 생명의 흔적이 남거나 새로 생겼다. 기형적인 모습으로라도 어느 벽 틈에서 풀이 자라고, 다리

개수나 머리 크기에 있어서 어딘가 균형이 맞지 않아 보이는 동물들이 쏜살같이 달려가고, 최소한 난생처음 보는 벌레라도 기어다니게 마련이었다. 그러나 안개에 가려 시야가 잘 확보되지 않음을 감안하더라도, 생명의 약동이라고 할 만한 장면이 전혀 엿보이지 않았다. 부서져서 실내와 실외의 경계가 모호한 건물들, 강대국의 과학자들이 떠난 뒤 도둑들이 목숨을 걸고 타일이나 고급 건축 자재 내지는 팔 수 있는 금속을 떼어간 모양으로 어느 건물이나 지붕은 뜯어져나가고 콘크리트 사이 철골은 드러나고 도색은 반 이상 벗겨져 원형과 용도를 알기 어려운, 원한과 집념의 단말마 정도나 남아 맴돌 성싶은 유령도시였다. 버려진 땅에 당연히 전기와 수도가 공급되지 않을 테니 설령 연구소의 터와 기자재까지 남아 있다고 한들 거기서 무슨 연구를 할 수 있다는 말인가? 그런 자리에 다 같이 모여서 할 수 있는 일이라곤 기를 모으거나 기도를 하는 일 정도겠지. 사람의 몸을 물질로만 본다면 전기신호도 돌고 필요한 각종 원소를 그 몸에서 추출하거나 하다못해 기름이라도 짜낼 수 있겠지만, 사람이 모여 앉아 기를 모은다고 전기가 1와트라도 만들어지는가 말이다. 이런 데에 살아 있는 사람이 있을 리 없다고 얼은 혀를 차면서도 미그라의 원을 풀어주기 위해 굳게 닫힌 공장과 공장 사잇길로 계속 천천히 차를 몰아 나아갔다. 전체 부지를 한 바퀴 돌아보는 건 어렵지 않았지만, 대부분 반파된 건물들 가운데 무엇이 연구소인지 알 수 없었다. 훼손되거나 쓰러진 각종 이정표에서는 제지공장이나 장갑공장 같은 글자를 어느 정도 읽을 수 있었지만 연구소를 가리키는 어떤 표지도 눈에 띄지 않았다. 혹시 그것이 군사기밀 시설의 일종으로 이정표 따위 애초에 없었다고 치면, 아무리 지하에 건설된 제국이라도 최소한 그리로 가는 입구 역할을 하는 건물 정도는 있을 터였다. 눈에 띄게 장엄하지 않더라도 주차 초소 정도 되는 부스나 컨테이너 같은 거라도 말이다. 이 폐허에서 그것이 무엇인지 알아볼 수 있을까?

무르익은 불안과 초조에 얼은 자기도 모르게 브레이크를 밟은 발에 힘을 주었다. 텅, 소리와 함께 차가 위로 솟구쳤다. 과속방지턱 정도가 아니라 꽤 부피감이 있는 무언가를 밟고 튕겨나간 다음 차는 다시 바닥으로 떨어졌다. 안개 때문에 전방 바닥의 장애물이 보이지 않은 것이었다. 브레이크 아닌 액셀을 밟았다면 차체가 뒤집혔을 것이다. 얼은 만약 동물, 설마 사람이라고 해도 그건 지금 차로 치어버린 게 아니라 원래부터 시체였을 거라고 마음속으로 기도하다시피 하며 기어를 P에 맞추었다.

—잠깐 차 문을 열어야 하니까 당신도 이걸 써요.

얼은 방독면을 미그라에게 건네고 자기도 하나 쓴 다음, 청보랏빛 안개를 바라보며 한번 심호흡하고, 차에서 내려서자마자 그 입자가 가능한 한 차에 덜 침투하도록 빠르게 문을 닫았다. 스키드 마크가 찍힌 모래를 되밟으며 문제의 장애물이 있던 자리로 나아갔다. 다행히 시신은 아니고 애초에 생물이었던 적 없는 물체가 봉긋하면서도 넓게 솟아 있었다. 시멘트나 돌을 담은 자루를 여러 개 쌓아 무언가의 경계선을…… 보호해야 하는 것을…… 그보다는 감추거나 치워버리고 싶은 것을 나타낸 것처럼 보였다.

방독면 속에서 가쁜 호흡을 몰아쉬면서 모든 자루를 걷어냈을 때 얼은 맨홀 뚜껑이라기에는 너무 크고 육중해 보이는 철문을 발견했다. 모래 먼지를 더 넓게 쓸자 드러난 계기판은, 이것이 한때 컴퓨터 프로그래밍으로만 개폐 가능했던 물건임을 보여주었다. 전기신호가 무용지물이 되고 방치된 지금은 문끼리 서로 뒤틀려 아귀가 맞지 않았고, 손잡이를 힘주어 당기자 조금씩 꿈틀거렸다. 반쯤 열린 문틈으로 랜턴을 넣어 바닥까지의 거리를 가늠해보니, 뛰어내려도 다칠 만한 높이는 아니었다. 예전에는 역시 전기를 이용했을 리프트가 붙어 있던 흔적이 보였다. 리프트의 잔해로 짐작되는 로프를 뚜껑에 연결하면 그걸 잡고 내려갈 수 있을 듯했다.

얼이 미그라를 업고 한 발씩 나아가는 동안 등뒤에서 미그라는 랜턴을 든 팔을 뻗어 전방을 비추었다. 하수도 같은 곳이었다면 물살을 헤치는 걸음이 몇 배나 무거웠을 텐데 다행히 지하는 오염수로 가득차 있지 않았고 오히려 건조한 편이었다. 랜턴 불빛에 의존하느라 확실치 않지만 짙은 회색 먼지 외에는 특별히 위험한 색을 띠는 공기도 보이지 않아서, 언제 다시 필요해질지 모르는 방독면 두 개는 일단 미그라의 반대쪽 팔에 걸어놓았다.

연구소가 철수한 뒤 오랜 세월에 걸쳐 망그러진 집기, 들러붙어 마른 오물과 각종 설치류와 절지동물의 사체 사이로 나아갔다. 군데군데 남은 선로의 일부에 발이 걸리지 않도록 조심하며 걷는 동안 얼은, 이대로 적당히 헤매다 아무런 흔적도 발견하지 못한 미그라가 항복 선언을 할 때쯤 데리고 돌아갈 셈이었다. 연구소의 내부 구조나 지도 같은 정보가 있었더라도, 어디가 연구실이고 어디가 창고인지 같은 구분이 무의미해진 이런 상태에서는 쓸모없었을 것이다. 사장의 해고 통지 직전 최후통첩을 들고 온 회사 동료일 뿐인데 이 정도면 할 만큼 했다고, 만일 그녀가 혼자 이동할 능력이 있는 사람이었다면 얼은 자신의 호의가 연구소 입구를 찾아주는 걸로 끝났을지 모른다고 생각했다.

그때 굉음이 섞인 미그라의 비명과 함께 눈앞을 비추던 랜턴 빛이 공중으로 솟구쳤다. 얼은 자신의 머리카락 옆으로 스쳐지나가는 화기를 느꼈다. 얼과 미그라는 그대로 쓰러져 바닥에 나뒹굴었다. 곧 몸을 추스를 수 있는 걸로 보아 본격적으로 상처를 입지는 않은 듯했지만, 무릎을 털고 일어나려는 얼의 등뒤에서 움직이면 발포한다는 나지막한 경고와 함께 총기류의 장전 소리가 들려왔다. 두 손만 머리 위로 들고 주위를 둘러보니, 어느 벽감에 숨어 있다가 나왔는지 예닐곱 명은 되는 사람들이 두 사람을 둘러싸고 있었다.

총 든 사람들만 보았을 적에는 정부의 박해를 피해 숨어서 앞날을 도모하는 무장 단체인 줄 알았는데, 그들의 지도자라는 아펙이 평범하고 가벼운 옷차림을 한 백발의 남자라는 점과 그를 옹위한 사람들의 전체적인 분위기를 보자면, 기도하면서 신의 방문을 기다리는 종교 단체나 스스로 신이 되겠다는 신비주의자들의 모임 같기도 하고 어느 쪽이든 공간 이동을 본격적으로 연구할 것 같지는 않았다. 샤드가 이 팀을 만났으리라는 보장도 없고 지하세계에 이 같은 생활을 하는 단체가 몇이나 더 있을지 모르니 섣불리 입을 열어서는 안 된다고 얼이 판단하기도 전에, 미그라가 그들에게 먼저 물었다.

—이중에 샤드를 아시는 분은 없나요?

아펙과 그의 동료들은 서로의 얼굴을 바라보았다.

—저는 샤드에게 이곳에 대한 이야기를 들은 적이 있어요.

그러자 아펙이 표정을 풀고 미그라를 내려다보았다.

—우리도 당신에 대한 이야기를 들었답니다.

샤드가 다른 도시로 이동하기 전 몇 번이나 그의 누이동생에 대한 이야기를 들려주었다고, 그동안 화물차로 시 경계를 드나들며 본 결과 자기가 사는 도시에는 희망이 없다는 결론을 내렸는데 어차피 같은 고생을 할 바에는 최소한 녹물이 덜 나오고 병균이 덜 끓는, 조금이나마 환경이 나은 도시에서 동생이 치료받을 수 있게 해주고 싶다는 얘기를 평소 했다는 것이다.

—그럼 샤드는 무사하다는 거지요? 지금 어디 있나요?

—우리는 모두 샤드가 완전히 존재할 거라고 믿고 있습니다. 하지만……

이 대목에서 아펙과 그의 일행이 또 한번 서로를 마주보니, 뭔가 말을 맞추기로 작정하고 거짓을 들이미는 눈치인 듯싶어서 얼은 순간 긴장했다. 살아 있느냐, 다친 데는 없느냐, 이곳에 샤드가 있느냐는 뜻으로 묻는데 완전히 존재한다니, 그나마 완전히 존재함도 확실한 게 아니라 그렇게 믿고 있다니, 그들은 샤드에게 무슨 위험한 임무를 맡긴 걸까…… 그러나 그들은 자신들의 집단이 타 도시로의 이동을 꿈꾸며 군사훈련을 하는 비장한 결사대 같은 건 아니라고 강조했다. 한때 물질과학 연구소에서 일했던 보조 연구원들을 주축으로 모이기 시작한 건 맞았고, 근무 기간에 개개인의 교육 수준에 걸맞은 역할은 주어지지 않아서, 이제 와서 남아 있는 오래된 장비로 공간 이동 연구를 시도하기에는 무리가 있음도 사실이었다. 그들이 움직일 수 있는 범위 내에서 최대한의 고등교육을 받은 사람들이 현실적인 절망과 환난 가운데 뿌리내린 큰 열망과 결합하여 얻은 결론이란, 얼의 눈에는 심신 수련에 전부를 건 영성주의자들의 세미나에 가까워 보였다. 그들이 샤드의 행방에 앞서 유기체니 구조니 기관 호흡 조직 은유 몸 정신 확장 같은 말을 동원해가며 자신들의 목적이 얼마나 자연 근본에 부합하며 신성한지에 대해 이야기하는 걸 듣자니 그랬다.

—피부는 껍질일 뿐입니다. 우리 몸은 여기 있지만 우리 생각

은 언제든지 그리고 얼마든지 다른 세계로 건너갈 수 있습니다. 영혼이 자유로이 유영할 때, 사람은 몸의 구차함에 매달리지 않게 됩니다. 바이러스가 창궐하는 혹서 한가운데나 가뭄 아니면 홍수 같은 현실의 제약에도 구애받지 않을 수 있습니다. 영혼의 완전한 이동이 이루어지면 몸은 저절로 따라갑니다. 영혼이 몸의 세포 하나하나를 일으키고 그것을 들어올리는 것입니다. 그것은 보편의 세상에서 정의하는 것보다 확장된 의미를 지닌 이동이며, 그때는 당신이 그 자리에서 일어날 수 없다거나 걸을 수 없다는 사실이 그리 중요하지 않음을 알게 될 것입니다. 이동의 행위란 몸이 영혼과 관계를 맺는 방식 가운데 하나를 가리키는 데에 불과하며, 몸의 불편이 존재의 경험과 양식을 규정하지 않음을 알게 될 것입니다. 우리는 마음을 중심으로 하는 이 같은 공간 이동 능력을 개발하여, 올바른 호흡과 명상의 힘으로 이곳 아닌 다른 곳에 우리 몸의 구조를 재배열하는 원리를 발견했습니다. 이 방식으로 우리는 이 도시를 떠날 준비를 해오고 있었습니다. 지금 세상에서 바이러스 감염을 차단한다며 사람의 통행을 금지하고 이동 자격을 제한하는 것과 달리 말입니다. 저 값비싸기만 하고 사람을 화물만도 못하게 취급하는 현실의 이동에서, 진정 자유로운 이동으로 인간은 이행할 수 있는 것입니다. 당신의 오빠 샤드는 그 점을 이해하고 우리를 전적으로 믿으며 수련을 게을리 하지 않았습니다. 그 결과……

—다리 너머의 도시로 건너갔다는 건가요?

—현재로선 그렇게 보고 있습니다. 구체적으로 정확하게 말씀드릴 수 없음을 이해해주시기 바랍니다. 이것은 그전까지 어떤 양자 부스나 양자 패드도 완벽하게 해내지 못했던 혁신적인 공간 이동 방식인 대신, 위험도가 아주 없다고는 할 수 없습니다. 세상의 모든 일이 그렇지 않습니까. 우리가 지난 세월 동안 숱하게 신규 출현하는 바이러스를 겪어왔고, 구십구 퍼센트의 사람에게 안전한 백신을 빠르게 개발하여 이에 대응해왔지만 과학이라는 이름으로 언제나 일 퍼센트의 예외나 변수가 생길 수밖에 없는 것처럼 말입니다.

그런 건 됐으니까 우선 미그라를 안심시켜달란 말이야! 얼은 소리라도 지르고 싶었지만 그들 가운데 일부는 아직 손에 총을 들고 있었으므로, 뜬구름 잡는 아펙의 가르침을 잠자코 듣고 있었다.

이후로도 현존이니 충만 각성 감각 균형 등 현 시대에는 아무래도 상관없고 귀에만 그럴듯한 말들이 아펙의 입에 오르내렸는데 그 말들을 조합 및 배열하자 이런 결론이 도출되었다.

모여든 이들은 충분히 시간을 들여 완전한 이동에 관한 이야기를 나누고 각오를 다진 뒤, 동료들 가운데 특별히 영감이 발달하고 훈련 성취도가 뛰어난 일곱 명을 뽑아 이동 결행의 날을 정했다. 먼저 이동에 성공한 이들이 각자의 자리에서 기반을 다지고 이후 이동하는 자들을 도우면서 네트워크를 구축하기로 했다. 결행의 날까지 각자 정한 목적지에 대해 강력한 심상을 그리기에 집중하면서 매번 다짐했다. 바로 저 다리를 건널 뿐이든, 아니면 바다 건너 다른 대륙이 되든 조건은 동일하다. 우리가 사는 이 도시로부터 거리가 멀어질수록 우리를 이룬 조각의 일부가 기대대로 운반되지 않으리라는 불신에 사로잡히지 마라. 절대로 불가능한 일이란 없을뿐더러, 우리를 이룬 조각 그 자체는 우리가 아니다. 일곱 명의 사람들 가운데 단 한 명만이 다른 대륙으로 가고자 했고 나머지 모두가 건너편 도시를 원했다. 아펙은 그런 과감하지 못하고 협소한 범위에 그치는 마음이 오히려 한 존재가 지닌 무한한 확장의 가능성을 줄어들게 만들 것을 우려하면서도, 대부분의 사람들은 태어나면서부터 이동이라는 걸 꿈꾸지 않음을 순리로 알며 살아왔으므로 공간 선택에 주저함을 감안해야 했고, 각자 나름대로 뜻한 바가 있을 것인데 계획에 초를 치거나 그들의 집중에 방해가 되고 싶지 않아서 말하지 않았다고 한다. 저 간절함이야말로 우주의 강력한 원리를 구성하는 에너지가 되어, 그들을 어디로든 데려다주리라 믿으며. 간구와 동시에 집착을 내려놓는다는, 어찌 보면 모순을 연료로 삼은 사람만이 진정한 이동에 성공할 것이고 지금까지의 수련 내용이란 사실상 그게 거의 전부라고 생각하면서.

그리고 결행의 날, 샤드와 선발된 사람들은 모두가 지켜보는 가운데 여섯 시간에 걸쳐 몸이 분출하는 미세한 전기신호들에 의식을 집중하고, 영혼에 접속한 감각의 분자들을 몸 구석구석까지 스며들게 하는 명상을 수행했다. 몸은 결정된 물질에 국한하지 않고 항상 어딘가로 나아가려고 하는 유기체이며, 몸 자체가 일종의 과정이고 영혼을 뻗어나가게 하는 통로라는 점에 대해 이해했다. 그리하여 의식이 에너지로 충만해진 끝에 일종의 트랜스 상태에 접어든 샤드와 그 일행은, 여덟 시간째 접어들었을 때부터 한 사람씩 그 자리에서 사라졌다고 한다. 그러는 동안 지하 연구소 전체가 진동하는 것을, 감각이 둔하거나 수련이 부족한 사람들도 느낄 수 있었다고 한다. 선발대의 영혼은 이미 그곳으로 이동했고, 이곳에 남은 몸의 구조가 흩어지면서 몸이 형태를 잃은 까닭에 사라진 것처럼 보인 것이다. 아펙은 이를 두고 각국에 양자 부스를 개발했던 시절, 이쪽의 정보가 삭제되는 동시에 저쪽에 복제된 정보가 나타나는 현상과 같다고 말했다. 이곳에서 보기에는 몸이 사라진 것 같지만 실제론 영혼과 함께 몸의 정보가 자신의 목적지에서 재구성된 것이며, 그 시절과 다른 점이 있다면 전기 에너지를 사용하지 않고 인간 자체에 들어 있는 에너지를 활용한다는 것이었다. 인간에게는 수치로 계량되거나 증명되지 않는 잠재력이 들어 있어서 그것이 작용한 결과물을 신비라 부르고, 신비에 의해 무한히 증폭한 에너지는 아무리 써도 없어지지 않는 거대한 핵 용광로가 된다고 말이다. 이 같은 개개인의 거대 에너지가 만나 충돌하면 말하지 않고도 서로의 생각을 주고받는 일 또한 가능하며 그것을 텔레파시라 부르지만, 지금은 당면한 생존에의 위협 앞에서 모두가 이동 행위에 집중하고 있다고.

그들의 진정한 목적이 무엇이든 간에 얼과 미그라에게 중요한 대목은 그다음부터였다. 여섯 명이 무사히 사라졌고, 한 명은 영혼만 털어내고 껍질만 남은 양 그 자리에 눈을 감고 있었다. 다른 대륙으로 가겠다고 한 이였다. 그의 껍질은 그 자리에서 별도의 처리를 하지 않은 그대로 바싹 말라갔으며 영혼은 어디를 헤매고 있는지 아무도 알 수 없었다.

그리고 약 일주일에 걸쳐, 바깥에 정찰 나갔던 동료들이 공장 지구 안팎에서 팔 하나와 발목 하나 등 신체의 일부를 발견하고 수거해 왔다. 물질과학 연구소의 숱한 실험 과정에서도 생물과 무생물 모두 백 퍼센트의 공간 이동을 했다고 보기 어려웠던 것처럼, 사람들의 시도는 일부 실패로 돌아간 것이었다. 그렇게 주워 온 팔과 다리 그리고 코, 귀, 손가락과 발가락 심지어 하반신을 모으고 결행일 당시의 상황과 비교해보니, 그들 가운데 신체가 모두 완벽하게 영혼이 있는 곳으로 복제 전송됐다고…… 말하자면 아직까지 살아 있다고 판단되는 것은 샤드뿐이었다고.

단지 샤드의 손발이나 머리통이 발견되지 않았다는 이유로 그런 결론을 내린다니 보통 어리석은 게 아니라고, 얼은 혀를 찰 뻔했다. 공장 지구의 광활함만큼이나 이 도시 자체도 결코 작은 편이 아니었고, 그들은 도시 전체와 야산 모두를 수색한 것이 아니었다. 애초에 인간의 잠재력과 에너지를 이용하여 몸과 영혼의 정보를 옮긴다는 것부터가 미친 소리였다. 그게 가능하다면 인간이 지금까지 그것을 상상의 영역에만 남겨두었을 리가. 얼은 그들이 수거해 왔다는 살과 뼈를 불완전 이동의 증거라고 눈앞에 쏟아놓는대도 믿지 않을 준비가 되어 있었다. 앉아서 죽은 인간 껍데기는 그냥 빛이 들지 않는 데서 은둔생활을 견디지 못하고 쇠약해져 죽은 거고, 부패하거나 시랍화한 팔다리를 부대에 담아 와도 그건 예를 들어 완전한 이동에 의구심을 품고 탈출이나 밀고를 꾀한 배신자들을 죽이고 조직원들이 잘라낸 것일지 몰랐다. 얼은 아펙이 입을 열기 전까지만 해도 샤드가 망명자들을 화물차에 태워주다가 군인들에게 변을 당했을지 모른다고 생각했는데, 이제는 정신 나간 심령 집단의 디오니소스적 이벤트로 살해당하여 시신이 어디 파묻혔는지도 알 수 없게 됐다는 쪽이 차라리 합리적일 듯싶었다.

—그러면 다음번 이동 결행일은 언제인가요. 저도 이동에 성공할 때까지 여기 머물게 해주실 수 있나요?

그래서 오빠를 일단 잃었다고 볼 수 있는 미그라가 이성도 잃고 아펙 일행을 선택했을 때 얼은 마침내 비명을 질렀다. 이제는 둘 다 무사히 빠져나가기는 그른 것 같았다.

—제발 이 사람들 말 듣지 마요. 이걸 믿어요? 믿냐고?

—저는 이제 뭐가 됐든 상관없어요. 얼마나 오랜 시간이 걸리든 오빠가 했다면 나도 할 수 있겠지요. 저도 그 이동이라는 걸 배울 거예요.

그렇게 말하는 미그라의 표정은 이미 여기에 없는 사람 같았다. 얼은 머리카락에서 분노가 솟아나오기라도 하는 것처럼 뒤통수를 긁적이며 호흡을 골랐다.

—아니, 지금 당신이 올바른 판단을 하기 어려운 상태라는 건 알아요. 저도 샤드가 걱정되고요. 하지만 우리 머리는 아직 붙어 있으니까 생각이라는 걸 좀 해보십시다, 예? 이 사람들 여기 왜 있는데. 영혼의 스승님, 이분은 진작 공중으로 떠올라서 원하는 데로 가시고도 남았을 실력자라는 거잖아요. 근데 왜 여기 남아 계시냐고. 무슨 뜻인지 모르겠어요? 이동이라는 건 없어요. 그냥 이 사람들 여기 숨어 사는 거야. 바깥에 정찰도 수시로 나가신다는 거 보니까. 그래요, 내가 하나는 잘못 짚었네요. 색깔만 불길하다 뿐이지 저 안개 좀 맞는다고 바로 죽어 나자빠지는 게 아니라는 건 알겠고, 그건 다행이네요. 하지만 나머지는 다 상상이라고요. 이분들이 일부러 당신을 엿 먹이려고 거짓말한다는 게 아니라, 다들 너무 공부 오래 하시고 명상에 빠져서, 자기가 추구하는 세계랑 실제 세계가 막 섞일 수 있단 말입니다. 이런 세상인데 무슨 일이든 못 일어나겠느냐고요. 안 그렇습니까?

미그라의 고요한 표정 속에 두려움과 의혹, 그럼에도 불구하고 멈춤과 움직임이 자신의 처지에서는 서로 다르지 않으니 움직일 가능성이 일말이라도 있는 쪽을 고르겠다는 집념이 피어올랐다.

—지금 막…… 당신이 말했네요.

—뭐요?

—이런 세상이니까 무슨 일이든 못 일어나겠느냐고요. 무슨 일이든 일어날 수 있다면, 인간의 힘으로 저 건너편으로 이동하는 일 또한 일어나지 않으리라는 법 없겠지요.

얼은 체머리를 흔들었다.

—좋아요, 그럼 상상을 좀 바꿔봅시다. 그래요. 무슨 일이든 일어날 수 있지요. 저 건너편 도시에 간 샤드를 아무도 직접 확인하지 못했고 소식 한 자 받은 게 없어요. 그렇죠? 그런데 여기서도 샤드의 팔다리가 뒹굴지 않았단 말입니다. 그러면 이건 어때요. 샤드의 몸이 옮겨가 구성되는 데에 실패해서, 우리 눈에는 보이지도 않는 원자 단위로 이 허공을 떠돌고 있으리라는 생각은 안 듭니까? 어쩌면 샤드의 존재를 이루었던 원자가 지금은 한때 샤드의 일부였다는 자각도 없이 지금 여기서 우리를 내려다보고 있을지도 모르지요. 영혼? 영혼은 영혼대로 그걸 담을 그릇을 잃은 채로 어딘가 떠돌고 있겠지. 샤드에게 무슨 일이든 일어났을 수도 있지만 그게 뭔지는 모르는 상태에서 샤드를 따라가기라도 할 겁니까? 여기서 기다린다고 답 나와요?

—그러면!

미그라는 거의 절규하듯이 반박했다.

—그러면 집으로 돌아간다고 답이 나올 것 같나요? 나한테?

얼은 움찔하여 말문이 막혔다. 기약 없는 샤드의 소식을 포기하고 집으로 돌아간 미그라를 기다릴 것은 가족의 부재와 어둠, 단수. 태어날 때부터 차지할 수 있는 공간의 지분이 남들보다 덜 허락되었으며, 누군가가 돕지 않으면 최소한의 식료품을 사러 가게에 가는 일도 불가능한 몸. 똑같은 어둠과 암담 속이라면 혼자 버려지느니 미치광이들의 옆이 당장은 안전하겠다고 느끼는 게 무리는 아니었다.

만약 이것이 구시대의 영화 속 한 장면이나 되었다면, 얼은 그녀를 두고 갈 수 없다고 단호하게 아펙 일행과 대치하거나, 자신도 지하에 머물기로 결정할 것이었다. 미그라에게 첫눈에 반했다든지 인간이 되어갖고 혼자 갈 수는 없다든지 하는 구실로 말이다. 그러나 얼은 만난 지 얼마 안 된 미그라를 선택하여 일상을 내던질 만큼의 이타심이나 의협심이 자신에게 없음을 잘 알고 있었다.

—당신은 돌아가요.

직전까지의 혼란과 막막한 표정을 추스르고 미그라가 말했다.

—여기까지 나를 데려다줘서 고마웠어요.

그들이 미치광이가 아닌 다만 순진한 수행자들에 불과할지도 모른다는 믿음이 얼의 안에 어렴풋하게나마 생긴 것은, 자의로 이곳에 남겠다고 하는 미그라를 받아들이는 한편 놀랍게도 얼을 고이 돌려보내주었기 때문이다. 아펙은 직전까지 얼의 폭언을 옆에서 고스란히 듣고서도 자신들에 대한 인상 평가를 바꾸려 들지 않았고, 얼도 여기 남아야 한다고 강요하지 않았다. 다만 당신은 우리의 동료가 아니니 이곳을 나선 다음에는 여기서 본 것을 누구에게도 말하지 말라고 당부했을 뿐 그 말투조차도 위협과는 거리가 멀었다. 비록 단 한 명의 사람도 해치지 않았다고 가정해도 그들은 일단 각종 경로로 입수한 총기류를 보유하고 있었고, 연구소 내부에 남아 있던 녹슨 관에다가 수도를 다시 끌어와 사용하는 불법도 거리낌없이 저지르고 있었다. 전기도 조만간 어딘가에서 끌어온다는데 그게 가능한 걸 보면 역시 배울 만큼 배운 사람들인 듯싶고, 그런데 인간 고유 에너지가 무한하다면서 왜, 인간을 발전기로 쓸 것이지. 어쨌거나 이들이 테러를 도모하거나 시민들의 망명을 돕는 게 아닌 순수 명상 모임에 불과하더라도, 출입금지 구역에서의 이 같은 단체생활이 외부 세계에 알려져서 좋을 일은 없었다. 최소한 선량한 사회 대중을 혼란에 빠뜨리고 불안감을 조성했다는 등 내란죄가 적용될 수 있을 것이었다. 그런 상황에서 그들에게 찬성하지 않는 자를 어떤 담보도 없이 원래의 자리로 돌려보낸다는데, 아펙의 결정에 반대하는 이들이 없었다.

—일상으로 돌아가, 당신도 움직이기를. 움직이는 것이야말로 생명의 근본이니까요.

그래서 얼은 이때만은 확고한 어조로 다짐했던 것이다.

—누구에게도 말하지 않을 겁니다.

그뒤로 얼은 회사에 돌아가 샤드가 행방불명되었음을 사장에게

밝혔고, 사장은 샤드를 퇴직 처리했다. 반드시 약속을 지키기 위해서라기보다는, 이 사회에서 최초의 제보자가 포상이나 격려 대신 어떤 번거로움과 부당함을 비롯한 고초를 겪는지 익히 알고 있기에 얼은 자기가 보고 들은 것을 미궁 속의 괴물이나 되는 듯 자신의 기억에만 봉인했고, 회사 사람들이나 이웃들이 간혹 공장 지구에 대한 뜬소문을 퍼 나르는 데에도 끼어들지 않았다. 그거 아니라고, 거기에는 실제로 사람들이 산다고 위험을 감수해가면서 정정하고 싶지 않았다. 적극적으로 움직이지 않으면 큰 이익이나 보람을 얻지 못하는 대신 뼈저리게 후회할 일도 없었다. 얼은 자신의 현재에 충분히 만족한다고 볼 수는 없었지만, 그 너머를 보기에는 역시 현재에 발목이 붙들려 있었다. 자신이 선 곳을 구태여 이 자리에서 저 자리로 바꿀 필요가 없었다. 화물차 할부도 다 갚았다. 물론 갚기가 무섭게 새로 구입해야 할 정도로 오랜 시간을 타서 낡아졌지만 그런대로 버티고 있었다. 결혼을 하지 않았으므로 먹여 살려야 할 가족은 부모님뿐이었고 그중 아버지는 지병으로 거액의 병원비가 들었는데 신종 전염병 유행 당시 백신이 개발되기 전 세상을 떠났다. 어머니 또한 전염병을 우려하여 그전까지 틈틈이 부식비를 벌던 허드렛일과 봉사활동을 중단하고 집에서 지냈다. 움직이지 않으면 탈이 나지 않는다. 어머니를 집에 모셔두고, 비교적 기동력이 있으며 비용과 소득 면에서도 효율적인 자신이 최소한의 동선을 따라 움직여 식구를 부양한다. 그 정도면 되었다고, 당신도 움직이라는 저주인지 주문인지 모를 아펙의 인사가 떠오를 때마다 다짐했다. 얼은 화물을 싣고 도시 경계선을 드나드는 자격을 취득한 서민들 가운데에서도 모범 운전기사에 속했다. 다리 경계선 안쪽으로 돌아오는 시간을 준수하여 벌금 한 번 문 적 없었다. 정해진 노선을 타고 규정된 구역만 오가며 물건을 옮기는 동안 건너편 도시의 사람들이 얼마나 잘사는지, 자신들과 같이 질병과 홍수와 사악한 기후에 고통받고 있는지 그런 데에 한눈팔지 않았다. 이대로 고요하게, 신호에 따라 정지선을 지키며 살면 되는 일이었다. 그 불안한 평화를 지키기 위해 얼은 아펙 일행에 대해 입을 열지 않았고, 설령 오랜 시간이 걸리더라도 미그라가 세상 어딘가에 있을 샤드의 파편이나마 만나게 되기를 빌었다.

사회 불만 세력이 폐허가 된 공장 지구에 모여 반란을 도모한다는 첩보를 입수한 군대가 그곳을 진압한 것은 그로부터 반년이 채 지나기 전의 일이었다. 뉴스를 본 얼은 당장이라도 화물차를 돌려 그곳으로 가고 싶었지만 앞의 열 대만 지나면 자기가 다리를 통과할 차례였으므로 운전대만 꽉 움켜쥐었다. 이 타이밍을 놓치면 규정된 시간까지 돌아올 수 없을 테고 하루 장사를 다 접어야 했다.

아니야, 아니라고. 무엇이? 그들은 민심 혼란을 획책하는 게릴라들이 아니라 그저 어딘가로 떠나고자 하는 부질없는 꿈을 꾸었을 뿐인 무해한 자들이었다. 만약 모여서 불가능한 상상을 하는 것이 반란이라면, 사회에 유익한 재생산 노동 대신 무위를 선택한 것이 소요라면, 거기에 조금도 해당되지 않는 자는 이 세상에 없을 것이었다. 내일 없는 삶에 염증을 느낀 동조자들이 늘어나 너도나도 무익한 꿈에 매달린 끝에 좌초하고 사회 근간이 흔들린대도 그것은 평범한 사람들의 잘못이 아니다……

아니야, 아니라고. 무엇이? 내가 말한 것이 아니야. 누구에게도 비밀에 부치고 있었다고, 오로지 스스로를 위해 약속을 지켰다고, 그들을 고발한 적 없다고, 아펙에게든 미그라에게든 만날 수만 있다면 설명하고 싶었다. 설령 그들이 설명을 필요로 하지 않는대도 외치고 싶었다.

불행인지 다행인지 알 길 없었으나 대규모의 군경이 공장 지구의 지하 공간까지 털었음에도, 오래된 몇 구의 시신과 훼손된 신체 일부 외에 그곳에서 발견된 살아 있는 사람은 하나도 없었다는 후속 보도가 나왔다. 이를 두고 관계 기관에서는 반란자들이 군경 도착 전에 거점을 다른 데로 옮겨 산발적으로 활동하는 것 같다고 결론을 내린 뒤 곧 다른 방식으로 수사가 재개될 것을 천명했으나, 세상에 군경이 꼭 해야 할 일은 그것 말고도 다 꼽기 어려울 만큼 많았으므로 그게 속히 이루어지리라고 믿는 사람은 없었다. 다수 시민들의 입장은, 그런 숨어사는 이들이 사회 불안 요소라고 하기에는 애초에 사회부터 안정적인 구조가 아니었으므로 수색 작전을 펼치든지 말든지 무관심했다. 일각에서는 군경이 지하 생활자들을 몰살시킨 뒤 처음부터 아무도 없었다는 거짓 보도 자료를 낸 게 아닌지도 의심했지만 그 같은 추측도 오래가지 않을 만큼, 그들의 존재는 이야깃거리가 되지 않았다.

그러니 얼은 아펙과 그의 동료들 그리고 미그라가 손에 손을 잡고 정말로 이곳 아닌 다른 어딘가를 선택해 떠났기를, 그들이 이미 이곳에 없는 이유가 모두 완전한 이동에 성공했기 때문이기를 기원하는 편이, 조금이나마 마음 편한 것이었다.

다리를 건너도록 허가받은 선량하고 순종적이며 경제력도 안정적인 시민인지를 확인하기 위해, 젊은 군인이 열린 차창으로 신분증을 스캔했다. 위조되지 않은 신분증임을 확인하는 표시가 떴다. 안경을 벗어봐. 모자를 벗고 여기를 봐. 그 옆에서 근무 기간이 긴 다른 군인이 참견하듯 말했다. 이 사람은 일주일에 세 번은 여기를 통과하는 모범 기사야. 물론 철저히 해서 나쁠 건 없지. 언제나 사고는 익숙함에서 일어나니까. 젊은 군인은 스캐너를 들고 얼의 화물차 둘레를 한 바퀴 돌며, 사전 보고된 화물의 개수와 일치하는지 파악했다. 조만간 세밀한 생체반응 측정기의 보급이 활성화되면 이 같은 수색 방식은 달라질 것이었다. 전에도 화물차를 일일이 열지 않고 몰래 탄 사람들이 있는지를 확인하기 위해 도입한 적 있으나, 정밀도가 떨어져서 운전자의 생체반응과 구별되지 않는다는 단점 때문에 정식 도입 시기가 늦추어졌을 뿐이다. 군인은 스캐너가 파악한 화물 개수를 신고 대장과 대조한 뒤 얼에게 손짓했다. 컨테이너 문을 열라는 명령이었다. 천천히 열린 컨테이너 안으로 들어간 군인은 내부 조명 아래서 대충 사람이 들어갈 수 있을 만큼 큰 상자의 위나 옆 등에 무작위로 칼을 꽂아보았다. 금속류나 가전같이 훼손될 만한 품목은 보통 보충재에 싸여 있으므로, 꽂았을 때 칼끝이 꼭 본품에 닿을 만큼만 깊이 넣었다가 본품의 감촉을 알아채고 제때 뽑아내는 것도 훌륭한 군인의 자질이었다.

몇 분에 걸쳐 그 의식을 마치고 내려선 군인은 마침내 통과 신호를 보냈다. 얼은 컨테이너 문을 닫고 군인들에게 웃음과 함께 인사를 건네며 다리를 통과했다. 대대적인 유지 보수가 필요한 다리 위를 불안한 리듬과 동작으로 달리기 시작하자 차내 지불 시스템에서 알림음과 함께 47,500미트라가 결제되었다는 안내 음성이 흘러나왔다.

다리를 다 건너자 이번에는 반대편 도시국가의 군인들이 손짓했다. 이쪽에서는 화물 검사는 추가로 하지 않고 대신 운전자를 내리라고 지시했다. 얼이 차에서 내려 눈을 감고 두 팔을 벌리자, 어떤 주의도 신호도 없이 그의 온몸으로 소독약이 분사되었다. 평소 별다른 느낌은 없는 무색무취의 소독약이지만 오늘따라 피부가 따끔거리고 털끝이 오소소 일어났다.

각종 절차 때문에 기다리는 시간이 오래 걸릴 뿐, 차량 한 대가 다리를 통과하는 데 걸리는 시간은 오 분에 불과했다. 고작 이만

한 거리와 이 정도의 간격이, 움직일 수 없는 보통의 사람들에게는 다른 세계 내지 다른 세기의 장벽이었다.

도시로 진입한 얼은 평소의 정해진 루트와 다른 차선을 탔다. 이 차선을 선택함으로써 그는 오늘 제시간에 돌아갈 수 없을 것이었고, 최초로 벌금을 물게 될 것이었다. 기준이 나날이 촘촘해져서 심하면 모범 운전기사 자격을 한 달간 정지당할 수도 있고, 그 경우 당분간 도시 안에서만 물건을 옮기는 일을 맡는 등 사무실에서 충분한 일감을 받지 못하게 될 것이었다.

그나마 직접적인 위험에서는 벗어난 것 같지만, 이게 정말로 그런 불이익을 감수할 만한 일인가?

얼은 깊이 생각하지 않고 인적도 CCTV도 없는 숲에 차를 세웠다. 컨테이너 문을 열고, 칼집이 난 상자들 가운데 '전기오븐' 라벨이 붙은 것을 개봉했다. 그 안에서 열 살이 채 되지 않은 듯싶은 한 아이가 두 팔을 벌리고 허우적대는 것을 안아다가 컨테이너 아래로 내려놓았다. 아이의 몸통에 두른 화물용 상자를 벗겨내자 비로소 아이는 환하게 웃었다. 상자에는 아까 군인이 찌른 칼자국이 얕게 나 있었다.

브로커의 사전 연락을 받고 나온 기탈출 생존자 집단의 어른들이 아이를 마중나와 있었다. 그것도 적인지 아군인지 몰라 수풀 안에 숨죽이고 있다가 아이가 내리는 걸 확인하고서 뛰어나온 것이었다. 서로 오랫동안 접선을 할 형편이 아니었으므로 눈인사만

나누고, 마중나온 이들은 황급히 아이를 안고 숲속으로 사라져갔다. 아마 숲에 사는 것은 아니고 자기네들 사는 곳으로 통하는 다른 길이 있을 것이었다.

얼은 그리 감상적인 사람이 아니었으므로 지체 없이 차에 올라 시동을 걸었다. 아이만이라도 전염병과 가난에서 조금이나마 떨어진 곳에 살기를 원하는 부모의 마음이 브로커를 찾게 했을 테지만, 도대체 이렇게 한두 명씩 도시 바깥으로 내보내는 게 무슨 의미가 있단 말인가? 또한 이렇게 탈출한 한 명의 아이가 나중에 자라 위인이 될지 강도가 될지 그 누가 알 수 있는가? 사람들은 왜 참담함으로 치자면 여기나 거기나 별반 다르지 않음을 알면서도 여기만 아니면 어디라도 괜찮은 것처럼 몸과 마음을 움직이기를 그치지 않는가? 얼은 그것에 대해 지금까지는 말할 것도 없고 앞으로도 이해하지 않기로 했다.

*당신도 움직이기를.*

얼이 만약 움직였다고 한다면 그것은 한 걸음을 넘지 않을 것이었다. 얼은 그 한 걸음에 큰 의미를 두지 않았고 앞으로도 되도록 움직이지 않을 것이며 설령 움직이더라도 자신이 감당할 수 있는 위험의 범위 내에서 한 걸음 미만의 보폭을 유지할 것이다. 그런 방식으로는 결코 아펙이 말하고 미그라가 바라던 완전한 이동은 이루어지지 않을 테며, 얼은 언제까지나 요동치기는커녕 미동조차 없는 경계선 안쪽의 존재로 남는다 해도 상관없었다.

해설

이지은(문학평론가)

# The World With-IN

## 내재성의 장력

「있을 법한 모든 것」의 주인공 소설가 C는 기시감과 클리셰로 점철된 로맨스 소설을 쓰고 있다. 호텔에 장기 투숙중인 멀끔한 백인 남자는 한 번도 본 적 없는 키퍼와 쪽지를 주고받다 그녀에게 사랑을 느낀다. 예상 가능한 패턴으로 흘러가는 이 이야기를 부여잡고 소설가는 곤경에 빠진다. "기시감 정도를 넘어 아무리 사골을 우려낸 클리셰에 불과하다 한들 백 퍼센트 동일하다면 쓸 수 없으므로"(102쪽). 그리하여 소설가는 '있음'을 비껴가기 위해서 '있을 법한 모든 결말'을 쓴다. 남자는 키퍼에게 만나고 싶다는 메시지를 남기지만 구체적인 약속을 하지 않은 탓에 만남은 불발

한다. 두번째 결말. 키퍼는 구체적인 시간과 장소를 남긴다. 남자는 뛰쳐나간다. 약속 장소에는 남자의 어머니뻘 되는 장년 여성이 앉아 있다. 다시 고쳐쓴 결말. 남자는 체면이나 타인의 시선은 무시하고 프런트에 가서 키퍼를 만나게 해달라고 한다. 어렵게 만남이 성사되고, 남자는 여자의 실물을 보는 순간 한눈에 사로잡히게 된다…… 시간과 여력이 충분하다면 소설가는 모든 가능성의 세계를, 그러니까 '있을 법한 모든 것'을 보여줄 기세다.

이쯤 되면 소설가는 의도치 않게 가능 세계에 관한 존재론적 탐구를 충실히 수행하는 수도자처럼 보이기도 한다. 그런데 문자 그대로 수행修行의 핵심이란 갈고닦는 것의 내용이 아니라 행위의 형식 그 자체 아니겠는가. 마찬가지로 소설가의 탐구에서 심오한 깊이는 낱낱의 이야기가 아니라, 그 모든 가능성들이 「있을 법한 모든 것」이라는 하나의 세계 속에 존재한다는 데서 얻어진다. 의미심장하게도 이 소설은 메타소설의 형식을 띰으로써 소설가에게도 초월적 위치를 허락하지 않는다. 소설을 쓰는 소설가조차 세계 내부에 존재하게 하는 것이다. 더욱이 소설 결말부에 등장하는 반전, 즉 소설가의 생활세계(=외화)와 소설가가 쓴 이야기(=내화)가 겹쳐지면서 내화 '바깥'에 존재하는 듯했던 소설가는 급격히 이야기 세계 '내부'로 이끌려간다. 그리고 메타소설의 특성상 이 내재성의 장력은 「있을 법한 모든 것」의 소설가 C뿐 아니라, 우리가 독해를 앞두고 있는 『있을 법한 모든 것』의 소설가 구병모에까지 미치게 된다. 자, 그럼, 웰컴 투 구병모 월드, 소설 속 인물도 소설가도 모두 함께하는 존재론적 평면, The World With-IN! 이렇게 간단하게 정리하면 되겠다 싶은데…… 그러기엔 구병모 소설의 세계에는 외계The World Without의 존재들이 너무 자주 등장하는 게 아닌가? 구병모 월드의 문제성은 바로 여기서 시작된다.

보호자분, 알았어요! 사무장의 목소리는 약간 들떠 있었다. 이유나진 할머님이 말씀하시던 게 뭔지 알았어요. 이제 보호자분이 오셔서 얘기만 들어주시고 적당히 조치해주시면 좋을 것 같아요. 니니코라치우푼타의 정체가 뭔지, 인내와 자애로 점철된 돌봄 노동 끝에 마침내 들었나보다. 이제 됐다, 뭐라도 알면 그나마 찾기가 한시름 덜었다고……

할머님 어렸을 적에 만난 외계인 이름이래요.

……정말이지 하나도 되지 않았다.

(「니니코라치우푼타」, 19~20쪽)

### 내-계의 타자들과 가족

『있을 법한 모든 것』에는 낯선 존재들이 자주 등장한다. 영혼의 힘을 통해 공간 이동을 꿈꾸는 영성주의자들이나(「이동과 정동」)

반려견과 함께 벌거벗고 목욕을 하는 독신 여성(「에너지를 절약하는 법」)은 그나마 덜 당황스러운 편이고, 엄마의 왜곡된 기억 속에 존재하는 외계인이나(「니니코라치우푼타」), 얼굴을 마주하면 언어 장애를 유발한다는 노커(「노커」)는 그 형상조차 가늠하기 어렵다. 독해의 길이야 여러 갈래로 뻗어 있겠지만, 이 글에서 중요하게 읽어내고자 하는 것은 낯선 존재를 세계 내부로 끌어오는 구병모 소설의 미학적 원리이다. 나아가 타자가 가득한 세계 내부에서 주체가 타자와 관계 맺는 방식이다. 그렇다면 이 쉽지 않은 여정의 첫 걸음을 '낯섦'의 가장 반대편에 있는 '가족'에서 시작해보자.

「에너지를 절약하는 법」은 1980년대 고도 성장기와는 또다른 의미로 에너지 절약이 화두가 된 현재의 시점에서, 과거 우리에게 '가족'이란 무엇인지 돌이켜보고 있다. 의무 교육이 '초등' 과정이 아니라 '국민' 만들기부터 시작되었던 그 시절, "가족은 내 모든 걸 내보일 수 있는 사람"(147쪽)으로 여겨졌고, 이때 '내 모든 것'은 문자 그대로 "빨개벗고"(147쪽) 목욕도 같이 할 수 있는 심신 양면 모두를 의미하는 것이었다. 가족은 이성애-가부장제 시스템에 더하여 목욕물도 함께 쓰는 "물자 절약 공동체"(142쪽)로 단단히 묶였고, 이로써 성장하는 국가의 기초 단위가 되었다. 유년 시절을 돌아보는 서술자의 회고적 시선 속에는 당대 사회가 강요했던 '가족' 개념에 대한 비판적 시선이 선명하게 드러난다. 요컨대, 가족이란 서로 다른 권력적 조건을 통치고 평평하게 포장하면서 실은 그 위계를 존속하게 만드는 허울이었다는 거다. 이와 같은 비판에야 어렵지 않게 동의할 수 있는데, 알쏭달쏭한 건 '나'가 이제 와 그 옛날의 절약 지침을 실천하고 있다는 점이다. 물론 현재 '나'의 가족은 비-인간 동물들이지만.

> 또다시 아이러니하게도, 이제는 개들 앞에서 옷을 벗는다. 목욕은 온 가족이 한 번에 하라는 절약 지침을, 나는 이렇게 오랜 세월이 흐른 뒤에야 실천에 옮기고 있었다. (164~165쪽)

의문을 잠시 미루고 이번엔 미래에서 거슬러올라오자. 「니니코라치우푼타」는 김유정문학상, 김승옥문학상 우수상을 수상하며 많은 독자와 비평가의 마음을 사로잡은 수작이다. 소설은 노인 돌봄의 사회적 비용이 가족과 국가의 존속에 위협이 되는 '국민 중위 연령 61세'라는 근미래 초고령 사회를 배경으로 한다. 부모를 요양원에 보내놓은 적지 않은 자식들이 종적을 감추거나 자살을 하고, 국가는 병든 노인을 모두 지원할 만한 여력이 없다. 소설의 주인공 '나' 또한 엄마의 요양비를 대는 게 쉽지 않다. 그러던 어느 날 '나'는 요양원 사무장으로부터 엄마가 꼭 보고 싶어하는 사람, 아니 외계인이 있다는 말을 전해듣게 된다. 특수 분장 업계의 명맥을 잇고 있던 '나'는 엄마의 간절한 바람을 들어주고자 도무지 이 세상의 피조물이라 보이지 않는 얼굴을 선배에게 뒤집어씌워 데려간다. 그러나 하루하루가 다르고 오전 오후가 다른 알츠하이머 환자인 엄마는 그새 외계에서 온 친구의 존재를 잊고 만다. "이분은 왜…… 얼굴이 이렇지요?"(43쪽) 여기서 끝났다면 소설은 그저 '웃픈' 에피소드로 남았을 테지만, 소설의 감동은 엄마의 죽음 이후 '니니코라치우푼타'의 정체가 암시되는 데서 온다.

> 엄마가 서툴게, 그리고 빼곡하게 적어둔 영화 제목들은 모두 우리 작업팀이 분장에 참여한 작품들이었다. 내가 십오 년을 일했지만 변변한 부와 명예는 얻지 못했던, 당연히 주연배우와 감독의 명성 뒤에서 그늘로 움직였던.
>
> (……)
>
> 수없이 흥행에 실패한 SF 독립영화와 상업영화들, 그 어느 장르보다 고난도의 특수 분장이 필요하지만 이제는 무수히 복제 가능한 대체재가 넘쳐나는 영화들 사이사이에 니니코라치우푼타의 파편이 있었다. 그것은 엄마가 유년에 실제로 만난 외부의 방문객. 혹은 젊은 날 쌓아올린 수많은 지성과 교양의 성채에 금이 가서 허물어진 뒤, 베수비오 화산의 유적지와도 같은 인지 공간에 남아 있던 스키마를 동원하여 말년에 조악한 상상으로밖에 빚어낼 수 없었던, 세상 유일하고도 절대적인 존재. 누구도 그 이름의 의미를 알지 못하며 어떤 국가의 글자로도 쓸 수 없으나 태초의 우주 어디에선가 내려와 지금 이 자리에 실존하는 말. 세상 어느 민족에게서도 발견되

지 않은 기원전 신화의 끝자락에서 왔을지도 모르는 이름. 낱낱의 발음을 입속으로 찬찬히 굴리는 동안 그것은 일자一者이자 진리이자 세계정신을 가리키는 다른 이름이 되었다. (59~60쪽)

'나'가 엄마의 유품을 정리하다가 발견한 메모에는 자신이 참여한 영화의 제목들이 서툴게 쓰여 있었다. 아무래도 엄마가 말년에 그리워한 '니니코라치우푼타'는 '나'가 만들어낸 기괴하고 낯선 크리처들이 섞이고 헝클어져 만들어진 이미지인 듯하다. 소설은 외계 존재에 대한 엄마의 그리움이 먼 우주를 돌아 다시금 딸에게 돌아가게 하면서 긴 여운을 남긴다.

이야기가 나온 김에 엄마와 딸의 관계에 주목한 또다른 소설 「노커」를 살펴보자. 소설의 제목인 '노커knocker'란 말 그대로 뒤에서 두드리는 사람인데, 그를 쫓아가 얼굴을 확인한 사람은 말을 잃어버리게 된다. 같은 증상을 호소하는 피해자가 하나둘 늘더니 급기야 사회 시스템이 무너질 만큼 사태는 심각해진다. 이처럼 속수무책으로 피해가 확산된 데에는 노커의 실체를 파악할 수 없었던 탓이 크다. 피해자들이 모두 실어증에 걸렸기 때문에 노커에 대한 제대로 된 정보가 공유되지 못했던 것이다. 악화일로로 사회의 혼란을 틈타 노커를 가장한 사람들이 나타났고, 그러다 진짜 노커와 가짜 노커의 구별이 불가능 · 무의미해지는 상황에 이르렀다. 나중에는 노커의 피해자들이 후드를 뒤집어쓴 채 사람들을 치고 다니게 되었다. 어느 신화 속 도시처럼 사람들은 서로 소통하지 못하게 되었고, 세계의 종말은 눈앞에 다가왔다. 초기 피해자인 다정은 얼마 전까지 언어 치료에 매진했지만, 이젠 또다른 노커가 되어 집을 나서려 한다. 그런데 이때 다정의 얼굴을 대면하겠다고 자진해 나서는 사람이 바로 다정의 엄마다.

> 말하고 생각할 수 있다 한들 그걸 들어줄 귀가 남아 있지 않으니, 엄마도 너의 언어를 새롭게 익힐래. 너의 말도 안 되는 말들을 데우고 끓여서 그것을 새로운 양분으로 삼을게. 엄마의 근육에, 뼈에 너의 말 같지 않은 말들을 새겨나갈게. 그러자면 우선 노크에 응답하여 후드를 벗기고 네 얼굴을 들여다보아야겠지. 엄마는 너의 얼굴이 어떻게 변했든 간에 그 얼굴을 두 눈 뜨고 똑바로 바라볼 거야. (95쪽)

「니니코라치우푼타」와 「노커」의 스토리는 디스토피아에서도 멸망하지 않는 엄마의 사랑으로 읽힌다. 그런데 여기서 하나 경계하고 싶은 것은 '모정'이라는 단어에 들러붙어 있는 신화적이고 규범적인 의미다. 우리가 이성애 가부장제 시스템 내부에 존재하는 한 '모정'이라는 말은 이것과 분리되기 어렵다. 따라서 소설의 주제를 '모정'으로 요약하게 되면 자칫 「에너지를 절약하는 법」에서 보여준 것과 같은 자연화된 이성애 가족에 대한 작가의 문제의식이 누락될 수 있다. 오히려 가족을 다룬 소설에 이종적異種的 존재들이 출현한다는 데 주목해보는 게 어떨까. 이들 소설의 가족을 낯선 타자에 대비되는 문학적 장치로 한 발 물려놓고 본다면, 구병모 소설의 세계를 구동하는 미학적 원리, 곧 내재성의 강한 장력으로 낯선 존재들을 끌어당기는 모습들이 확연히 드러난다. 「니니코라치우푼타」가 이를 가장 선명하게 보여주는데, 이 소설에서 '일자'이자 '세계정신'으로 표현되는 초월적 존재(=니니코라치우푼타)는 '나'가 만들어낸 크리처들의 파편들로 이루어진 것이다. 다시 말해 초월적 존재라 믿어지는 것도 사실 세계 내 존재의 재구성과 재배치를 통해 형성된 것인 셈이다. 노커가 된 다정의 얼굴을 직시하고자 하는 엄마의 마음 역시 타자를 내부로 받아들이고자 하는 행위로 볼 수 있다. 이렇게 본다면 가족을 다룬 세 편의 소설은 모두 이종적인 타자를 세계(=가족) 내부로 이끌어오면서, 바로 그곳에서 관계 맺는 양상을 보인다. 이와 같은 미학적 원리는 소설의 세계를 더욱 풍요롭고 광대한 장소로 만들 뿐 아니라, 세계에 대한 독자의 시야를 확장한다. 더불어 세계(=가족)는 매우 효과적으로 이종적이고 타자적인 존재가 출현하는 곳으로 드러난다. 요컨대, 소설에서 나타난 '모성'이란, 불가지의 영역이나 초월적 존재로 남겨질 수 있는 타자를 세계 내부로 힘껏 끌어오는 사랑 그 자체로 확장하여 이해할 필요가 있다.

### 대면의 공포, 타자라는 지옥

그러나 세계 내에서 타자들과 관계 맺기는 가족적 친밀감보다는 디스토피아적 공포로 귀결되기 쉽다. 「노커」에서 등뒤에서 나타나는 타자의 '호명'은 '나'의 주체화가 아니라 그 반대의 현상, 즉 언어의 상실로 나타난다. 소설은 끝까지 타자의 얼굴을 보여주지 않은 채, 서로가 서로의 타자가 되면서 사회가 붕괴하는 모습을 그린다. 한편, 「있을 법한 모든 것」은 보다 현실적 층위에서 대면의 공포를 그린다. 앞서 언급했듯, 소설가가 서술자로 등장하는 이 소설은 겹구조를 지닌다. 하나가 소설 속 C가 쓰는 이야기(=내화)라면, 다른 하나는 C가 생활하면서 겪는 이야기(=외화)다. 내화가 호텔 장기 투숙자의 낭만적 로맨스라면, 외화는 소설가 C가 경험하는 평범한 일상생활 이야기다. 이처럼 외화와 내화는 소재도 장르도 다르지만, 이야기의 소재는 '(비)대면'으로 일치한다. C가 소설의 결말로 장기 투숙자와 키퍼를 어떻게 대면하게 할 것인가를 고심하는 가운데, 그가 실제 경험한 일화들—키오스크 앞에서 되돌아가는 노인, 창구 너머 점원에게 행패를 부리던 주정뱅이 등이 제시되는 것이다.

흥미로운 건 코로나19를 마주하면서 급속히 확산되었던 '비대면 사회에 대한 우려'에 작가가 꽤 냉소적인 시선을 보내고 있다는 점이다. 물론 키오스크 앞에서 어쩔 줄 몰라하는 디지털 약자에 대한 안타까움이 묻어나지 않는 것은 아니나, 그 안타까움만큼이나 무례한 사람을 대면하지 않아도 되는 데서 오는 안도도 드러난다. "혹 보조 인력이 옆에 있었다면 노인은 그 사람을 때렸을 것이다. 자신이 이해할 수 없는 언어를 무작위로 출력하는 기계의 옆구리를 때리면 해결된다는 믿음 그대로, 사람을 때렸을 것이다. 그걸 생각하니 거기 사람이 없던 게 천만다행이라고 C는 생각한다."(121쪽) 더하여 C의 회고를 곱씹어보면 '비대면'의 문제는 꼭 기계화의 결과만은 아니다. 과거 점원과 손님 사이에 불투명 유리막이 등장했을 때에도 파악把握되지 않는, 그러니까 여차하면 주물러 터트릴 만큼 손에 꽉 쥐어지지 않는 창구 너머의 점원에 대한 불만은 폭력적으로 표출되곤 했다.

> 나 봐, 똑바로 여기 구멍 앞에 딱! 나 보고 얘기하라고. 아가씨가 뭘 몰라서 가르쳐주는 건데, 사회생활 그렇게 하는 거 아니야. 사람이 얼굴을 마주보면서 어, 그런 게 예의지. 어디서 건방지게 목소리만 띡하니, 팔팔 없다고요— 하면 단가. (109쪽)

주정뱅이는 창구 너머 아가씨의 본질을 파악하지 않고서야 물러설 수 없다. 그리하여 그는 뒤에 선 건장한 남자들에게 떠밀리면서도 구멍 안쪽을 들여다보는 걸 포기하지 않았고 끝내 제멋대로 그녀를 (노래) 불렀다. "우리 동네 담뱃가게에는 아줌마가 못났다네…… 파마머리 헝클어진 것이 정말로 못났다네……"(110쪽) 이때 폭력의 주된 방법이 '호명'이라는 점이 중요하다. 문학 시간에 배운 시는 우리로 하여금 각자의 빛깔과 향기에 맞는 '불림'을 갈구하게 하였으나, 현실에서 그것은 곧잘 '불링bullying'으로 나타나기 때문이다. 서로를 부르며 서로의 지옥을 만들어온 우리에게 「노커」의 디스토피아에서 온 유튜버의 충고는 귀담아들을 만하다. "여러분, 일단 지금은 숨죽여야 할 때 같아요. 누가 내 등을 치거나 팔뚝을 꼬집고 가더라도 돌아보지 말라고. 먹이 주기 금지, 우리 그런 거 잘하잖아. 어 그래, 나는 모르겠으니까 너 가던 길 잘 가라고, 아예 신경을 쓰지 말아버려."(79쪽)

현실이 이러하다면 C의 소설 속 남자는 키퍼를 만나지 않아야만 사랑을 계속할 수 있을 텐데, 상대를 대면하고 파악하고 호명해야 '진정한' 관계가 성립된다는 강박은 소설가를 내버려두지 않는다. 만나야 끝이 난다. 다만 그 끝이 무엇이냐가 문제일 뿐. '대면'이라는 종국은 시와 현실의 간극처럼 내화와 외화에서 전혀 다른 방식으로 전개된다. 먼저, 내화는 다양한 가능성들을 보여주고, 마침내 남자가 여자를 만나 한눈에 반하는 결말에 도달한다. 그러나 이러한 낭만적 엔딩은 키퍼의 노동 환경과 같은 현실적 조건을 소거한 뒤에나 가능한 것이다. 반면, 자본주의 현실의 노동력 판매/구매의 조건이 소거되지 않은 외화의 결말은 직접적인 대면에 이르기도 전에 파탄에 이른다. C는 자신의 소설 속 남자처럼 집에 오는 가사도우미에게 손편지를 남긴다. 그리고 집에 돌아와 답장을 본 "C는 잠깐이나마 마음이 따뜻해진다. 얼굴을 마주 대하지 않고도, 선 넘는 관심이나 무례한 참견을 동반하지 않고도 타인과의 관계 형성은 가능하다는 믿음이 생"(128~129쪽)긴다. 그러나 우연한 기회에 CCTV를 확인한 C는 자신의 집에 다녀간 도우미가 말도 없이 바뀌어 있음을 깨닫는다. "이 무성의를 용서할 수 없다. 돈을 받고 일하는 사람이 이렇게 정신이 빠져서야 되겠는가. 내일 아홉시 땡 치면 고객센터에 연락하여 강력히 항의할 것이고 소비자보호원에 고발할 것이다. 필요하다면 서비스 요금 환불을 요청하는 내용증명을 보낼 것이다."(130쪽) '있을 법한' 모든 가능성 가운데 하나인 외화에서 '사용자-노동자'는 CCTV의 비대칭적 시선을 통해 '바라보는 주체-대상'이라는 한쪽의 일방적인 '파악'과 '호명'으로 끝나고 만다.

### 코드-내-존재

당신에게 도착하지 않은 생각과 말과 행위는 지금…… 어디에 있는 걸까요?

내 손을 떠나서 어딘가로, 많은 죄를 지으러 간 걸까요?

(「Q의 진혼」, 171쪽)

타자와의 관계 맺기는 '파악'과 '호명'이 폭력으로 귀결됨으로써 실패하기도 하지만, 다른 한편 메시지가 전달되지 않고 소통이 부재함으로써 실패하기도 한다. 「Q의 진혼」은 발신된 메시지가 수신자에게 도달하지 못하고 부유하는 상황을 그려낸다. 의미가 되지 못하고 공중에서 부유하고 있는 말이란 시와 소설의 오랜 주제이지만, 「Q의 진혼」은 '말'이라기보다 디지털 코드화된 최소 단위(양자, Quantum) '1'을 대상으로 하고 있어 이색적이다. 의미로부터 뜯겨져나온 '1'은 "관계 맺을 수 있다면. 얽힘으로써 서로의 존재를 몇 번이나 되짚을 수 있다면"(176쪽) 하는 바람으로 또다른 데이터와의 결합을 꿈꾸지만, 1은 의미가 되기는커녕 거대한 무로 빨려들어가게 된다. 허공을 떠도는 데이터가 너무 많아지자 이들을 흡입하여 없애려는 기계가 나타났기 때문이다. 그러나 의외로 1은 소멸되는 것이 아니라 '0'의 총합으로 수렴됨으로써 소설은 작가 세계관의 알레고리로 읽힐 여지를 남긴다. '0'은 '무'이지만 동시에 데이터이고, 1과 0은 반복 · 변형 · 재배치 · 재구성됨에 따라 무한한 의미를 생성할 수 있다. 따라서 무수한 1과 0이 쓸려들어간 '0'은 거대한 무의미이자 어떤 의미든 생성될 수 있는 충만한 내재성의 세계라 할 수 있다.

유실된 데이터들이 세계의 조각으로 존재하고 있는 것이라면, 사라진 남자 샤드에게도 희망이 생기지 않을까. 「이동과 정동」의 트럭 운전수 샤드는 정신력을 통한 공간이동을 시도한 후로 실종되었다. 얼핏 운전수가 이동을 정신력으로 시도했다는 게 모순적으로 들리겠지만, 소설 속 세계는 이동이 특권층의 전유물이 된 디스토피아다. 높은 물가와 사회 시스템의 붕괴로 사람들은 이곳 아닌 어딘가를 꿈꾸지만, 보통의 사람들에게 합법적으로 국경을 넘는 일은 거의 불가능하다. 운송 트럭의 화물로 위장하여 이동하다 많은 사람들이 죽다보니 급기야 샤드 무리와 같은 영성주의자들까지 생겨난 것이다. 물론 이들이 처음부터 시대를 거슬러 영혼 에너지에 의존한 것은 아니었다. 세상이 파국으로 치닫기 전에 "물질을 구성하는 정보를 전송하여 이쪽의 정보가 삭제되는 동시에 저쪽에서 정보가 완벽하게 복제 구현되게 한다는 공간 이동의 기본적인 이론은 정립되어 있었"(213쪽)다. 그러나 연구소가 망하고 공간이동에 소모되는 에너지를 감당하기 어렵게 되자 인체 에너지에 의존하게 된 것이다. 그렇다면 샤드는 자신을 전송 가능한 정보로 코드화하는 데 성공한 것일까, 아니면 질적 도약을 통해 다른 영적 체계 속에 편입된 것일까. 그런데 어느 쪽이든 샤드가 '코드-내-존재'라는 건 같은 게 아닐까.

## 이동과 횡단

샤드의 동료이자 모범 운전기사 얼은 그 누가 태워달라 간청해도 모르는 척해왔다. 발각되는 날엔 겨우 유지하고 있는 생존의 최소 조건조차 빼앗길 것이기 때문이다. 그에겐 이동이 그다지 중요하지 않았다. 그런데 얼이 소설의 마지막 장면에서 위험과 불이익을 감수하고 어린아이를 숨겨 국경을 건넌다. 이동에 대해서는 여전히 회의적이면서도.

> 얼이 만약 움직였다고 한다면 그것은 한 걸음을 넘지 않을 것이었다. 얼은 그 한 걸음에 큰 의미를 두지 않았고 앞으로도 되도록 움직이지 않을 것이며 설령 움직이더라도 자신이 감당할 수 있는 위험의 범위 내에서 한 걸음 미만의 보폭을 유지할 것이었다. 그런 방식으로는 결코 아펙이 말하고 미그라가 바라던 완전한 이동은 이루어지지 않을 테며, 얼은 언제까지나 요동치기는커녕 미동조차 없는 경계선 안쪽의 존재로 남는다 해도 상관없었다. (242쪽)

얼이 아이를 이동시키게 된 결정적인 계기라면, 아마도 샤드의 동생 미그라와 영성주의자들을 만난 탓일 테다. 물론 이 말이 얼이 영성주의자들에 감화를 받았다는 뜻은 아니다. 영성주의자들은 "이동의 행위란 몸이 영혼과 관계를 맺는 방식"(226쪽)이라고 했지만, 얼은 걷지 못하는 미그라를 업고 걸었고, 아이를 차에 태워 국경을 넘었다. 얼에게 이동은 '몸-영혼'의 관계가 아니라, '나-타자'의 관계인 것이다. 그렇다면 위의 소설의 마지막 장면을 얼의 이동, 즉 '나'와 타자 사이의 관계로 다시 읽어보자. '나'는 타자와의 관계에서 움직인다고 하더라도 한 걸음을 넘지 않으며 그 한 걸음에 큰 의미를 부여하지도 않을 것이다. 앞으로도 타자와의 관계에서 되도록 움직이지 않을 것이며, 움직이더라도 감당할 수 있는 범위 내에서 한 걸음 미만의 보폭을 유지할 것이다. 이런 방식으로 '나'와 타자 사이의 완전한 관계는 이루어지지 않을 테고, '나'는 '나'와 타자를 가르는 경계선 안쪽에 남을지도 모르지만 상관없다. 바꾸어놓고 보니 이는 대면의 공포와 타인이라는 지옥에서 살아가는 우리가 겨우 한 걸음 나아가 타자와 관계 맺는 것에 대한 훌륭한 은유로 읽힌다. 그런데 여기서 얼이 놓친 것이 하나 있다. 아주 드물게 그 한 걸음 미만의 보폭으로 경계선을 넘기도 한다는 것이다. 얼이 아이를 데리고 국경을 넘었듯, 구병모의 소설에서 세계-내-타자들이 이종적 가족을 구성하듯 말이다. 타자와 함께하는 세계는 그 자체로 디스토피아도 유토피아도 아니다. 그러나 분명한 건 '나-타자'가 관계 맺어야만 한 걸음 미만의 보폭이나마 움직일 수 있다는 거다. 자, 이제, 그럼 되었다. 웰컴 투 구병모 월드, 나와 당신과 내-계의 타자들이 함께하는 존재론적 평면, The World With-IN!

# 작가의 말

작가의 말을 쓰는 책상 위에는 막스 에른스트의 『백 개의 머리를 가진 여인』이 놓여 있다. 머리가 백 개라면, 백은 일단 좋은 숫자이고, 먼 옛날에는 백을 온이라고 불렀을 정도로 온전한 그 무엇이며, 만점은 백점이고, 아무튼 백은 더할 나위 없는 숫자니까, 내가 만약 머리를 백 개 가졌다면 밤마다 백 개의 꿈을 꾸고, 백 가지의 이야기를 만들고…… 그러나 위 소설 속에서 백 개의 머리를 가진 여인은 매번 '백 개의 머리를 가진〔머리가 없는〕 여인'으로 표기된다.

뭔가 너무 꽉 차게 많으면, 어느 순간 아무것도 없는 것과 다르지 않게 되고 만다.

비대면 시대 삼 년을 지나는 동안 우리 주위에는 좋은 것, 사치스러운 것, 저렴한 것, 편리한 것들이 많이, 더 많이, 있는 힘껏, 기를 쓰고 넘쳐나게 되었다. 그것을 차질 없이 구현하고 제공하는 노동자의 피와 살을 먹고서,

증식.

너무 많다. 정확히 뭐가 많다고 집어낼 수 없을 정도로 모든 것이 너무 많다. 보아서/먹어서/입어서/발라서, 치워야/없애야 하는 것들이, 많아졌다. 그것을 사용할 사람은 턱없이 줄었다는 반복적인 탄식과 우려 속에서.

그리하여 다함이 없다. 지극至極을 잃었다. 다함이 없는 세계에 영이 곱해진다.

*

그 어느 때보다도 이야기는 만연하고, 창궐하고, 범람하고, 난무한다. 그것을 이야기의 개화開花라고만 할 수 있다면 좋겠지만, "그렇기 때문에 우리는 어쩌면 이야기하는 것이 더이상 설 땅을 잃어버린 시대의 끝에 와 있는지도 모른다."*

뭔가 이대로는 좀 아닌 것 같은데 구체적으로 뭐가 아닌지 말해 보라면 순식간에 그것이 무엇인지 혹은 무엇이 아닌지 모르게 되고 마는 상태로 나날을 보내고 있으며, 잘 전해질지 모르겠지만 이 소설집 가운데 절반은 그 혼란의 메모들로 빚어졌다.

그럼에도 불구하고, 있을 법한 어떤 것과 있을 법한 모든 것 사이의 어디쯤에 당신이, 촉발되고 솟아오르고 흘러넘치고 울려퍼지고 자리잡으니.

2023년 여름

구병모

* 폴 리쾨르, 『시간과 이야기 2』, 김한식 · 이경래 옮김, 문학과지성사, 2000, 66쪽.

| 수록 작품 발표 지면 |

니니코라치우푼타 …… 『자음과모음』 2022년 여름호

노커 …… 『EPIC』 #06

있을 법한 모든 것 …… 『긋닛』 1호

에너지를 절약하는 법 …… 『현대문학』 2022년 8월호

Q의 진혼 …… 『악스트Axt』 2022년 5, 6월호

이동과 정동 …… 웹진 크로스로드 2021년 11, 12월호

문학동네 소설집
있을 법한 모든 것


1판 1쇄 2023년 7월 25일
1판 4쇄 2023년 11월 20일

지은이 구병모
책임편집 김영수 | 편집 이민희 강윤정
디자인 강혜림 최미영 | 저작권 박지영 형소진 최은진 서연주 오서영
마케팅 정민호 서지화 한민아 이민경 안남영 왕지경 황승현 김혜원 김하연 김예진
브랜딩 함유지 함근아 고보미 박민재 김희숙 박다솔 조다현 정승민 배진성
제작 강신은 김동욱 이순호 | 제작처 영신사

펴낸곳 (주)문학동네 | 펴낸이 김소영
출판등록 1993년 10월 22일 제2003-000045호
주소 10881 경기도 파주시 회동길 210
전자우편 editor@munhak.com | 대표전화 031) 955-8888 | 팩스 031) 955-8855
문의전화 031) 955-3576(마케팅) 031) 955-2679(편집)
문학동네카페 http://cafe.naver.com/mhdn
인스타그램 @munhakdongne | 트위터 @munhakdongne
북클럽문학동네 http://bookclubmunhak.com

ISBN 978-89-546-9417-9 03810



www.munhak.com